LE MONDE DE TOLKIEN

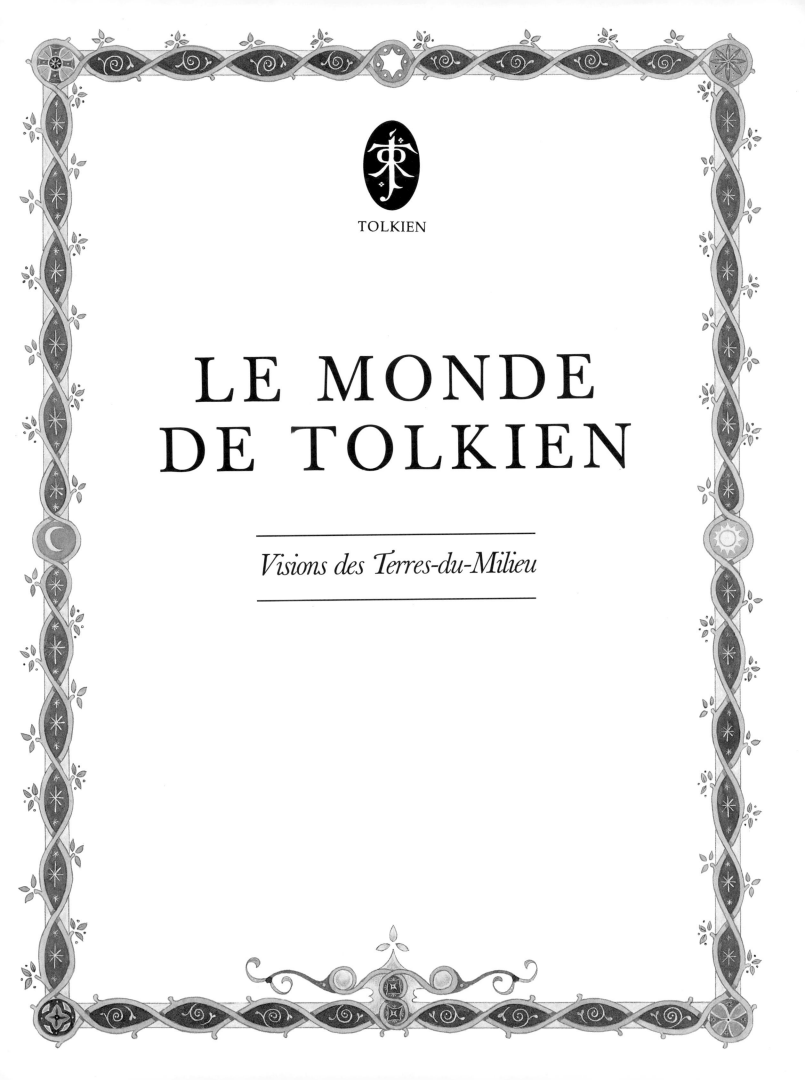

TOLKIEN

LE MONDE DE TOLKIEN

Visions des Terres-du-Milieu

Sommaire

John Ronald Reuel Tolkien est né dans la ville de Bloemfontein, dans l'Etat Libre d'Orange où son père, Arthur, avait déménagé pour assumer de hautes responsabilités dans une banque. Au début de 1895, sa mère, Mabel, fatiguée par le climat, retourna en Angleterre avec Ronald et son frère cadet, Hilary. Après le décès d'Arthur des suites d'une fièvre rhumatismale, la famille s'installa à Sarehole, près de Birmingham. Cette superbe région rurale fit grande impression sur le jeune Ronald, et cette influence se sentira clairement dans ses œuvres à venir.

Mabel mourut en 1904, laissant les garçons aux soins du père Francis Morgan, prêtre à l'Oratoire de Birmingham. A la King Edward's School, Ronald apprit les classiques, l'Anglo-Saxon et l'Anglais ancien. Doué de grands talents linguistiques, il commença à inventer ses propres langages « Elfiques » après avoir étudié le Vieux Gallois et le Finnois.

1914 vit l'explosion de la Première Guerre mondiale. Ronald était en dernière année à l'Exeter College, à Oxford. Il fut diplômé l'année suivante, premier en Langue Anglaise et en Littérature, et partit directement rejoindre son affectation de sous-lieutenant dans les Lancashire Fusiliers. Avant d'embarquer pour la France en juin 1916, il épousa Edith Bratt, son amie d'enfance. Tolkien survécut à la bataille de la Somme, où deux de ses trois meilleurs amis périrent, mais contracta la fièvre des tranchées un peu plus tard et fut rapatrié en Angleterre.

Les années suivant la Grande Guerre furent consacrées à son travail d'enseignant. Professeur Anglo-Saxon à Oxford, il se révéla bientôt comme un des meilleurs philologistes du monde. Il avait déjà commencé à écrire un grand cycle de mythes et légendes des Terres-du-Milieu, qui devait devenir *Le Silmarillion*. Edith et lui eurent quatre enfants, et c'est d'abord pour eux qu'il imagina *Bilbo le Hobbit*, édité en 1937 par Sir Stanley Unwin. *Bilbo le Hobbit* s'avéra si réussi que Sir Stanley réclama bientôt une suite. Mais il fallut attendre 1954, alors que Tolkien approchait de la retraite, pour voir paraître le premier volume de son grand chef-d'œuvre, *Le Seigneur des Anneaux*, dont le le succès foudroyant le prit au dépourvu.

Ronald et Edith prirent leur retraite à Bournemouth, mais Ronald retourna à Oxford après le décès d'Edith en 1971, où il mourut après une brève maladie le 2 septembre 1973, laissant à son fils Christopher le soin de préparer la publication de sa grande œuvre mythologique, *Le Silmarillion*.

FONDCOMBE

Ted Nasmith

Loin en dessous d'eux, ils virent une vallée. Ils pouvaient entendre la voix d'une eau qui, dans le fond, coulait en un rapide courant sur un lit rocheux ; un parfum d'arbre imprégnait l'air ; et il y avait une lumière de l'autre côté de l'eau en aval.

Bilbo ne devait jamais oublier la façon dont ils glissèrent et dégringolèrent dans le crépuscule le long du sentier en zigzag jusque dans la secrète vallée de Fond-combe. L'air se réchauffait au fur et à mesure de la descente, et l'odeur des pins assoupissait le hobbit, de sorte qu'à tout moment il branlait la tête et manquait tomber, ou bien il heurtait du nez l'encolure de son poney. Leur entrain se réveilla à mesure qu'ils descendaient. Les arbres devenaient des hêtres et des chênes, et une agréable sensation se dégageait du crépuscule. La dernière teinte verte s'était presque effacée de l'herbe quand ils finirent par arriver à une percée située un peu au-dessus des bords de la rivière.

Bilbo le Hobbit

John Howe

Les gobelins leur enchaînèrent les mains derrière le dos et les lièrent en une seule file ; puis ils les entraînèrent au fond de la caverne, le petit Bilbo à la remorque.

Là, dans l'ombre, sur une grande pierre plate, était assis un formidable gobelin à la tête énorme ; il était entouré de gobelins armés des haches et des sabres courbes en usage chez eux.

«Qui sont ces misérables gens ?» dit le Grand Gobelin.

– Des nains, et ceci ! dit l'un des conducteurs, tirant sur la chaîne de Bilbo, ce qui le fit tomber en avant sur les genoux. Nous les avons trouvés en train de s'abriter dans notre Porche d'Entrée.

– Qu'est-ce que vous entendez par là ? dit le Grand Gobelin, se tournant vers Thorïn. Rien de bon, je suis sûr ! Vous espionniez les affaires privées des gens, je suppose ! Des voleurs, je ne serais pas surpris de l'apprendre ! Des assassins et des amis des elfes, ça n'aurait rien d'étonnant ! Allons ! Qu'avez-vous à dire ?

Bilbo le Hobbit

Inger Edelfeldt

Au plus profond de ces lieux, près de l'eau noire, vivait le vieux Gollum, une créature petite et visqueuse. Je ne sais d'où il était venu, j'ignore qui et ce qu'il était. C'était Gollum – aussi ténébreux que les ténèbres, à l'exception de deux grands yeux pâles et ronds dans son visage mince. Il avait une petite barque, et il se promenait silencieusement sur le lac ; car c'était bien un lac, large, profond et mortellement froid. Il pagayait avec de grands pieds ballant par-dessus le bord, mais sans jamais causer la moindre ride. Non, pas lui. Il cherchait de ses pâles yeux, semblables à des lampes, les poissons aveugles, qu'il saisissait comme un éclair dans ses longs doigts. Il aimait aussi la viande. Il appréciait les gobelins, quand il pouvait s'en procurer ; mais il prenait bien soin de ne jamais se laisser découvrir par eux. Il les étranglait simplement par-derrière, si jamais ils approchaient seuls de la rive tandis qu'il rôdait par là.

Bilbo le Hobbit

Michael Hague

Une boîte sans charnière, sans clef, sans couvercle :
Pourtant à l'intérieur est caché un trésor doré,
demanda-t-il pour gagner du temps, en attendant de pouvoir penser à une devinette vraiment ardue.

Celle-ci, il la considérait comme terriblement usée et facile, encore qu'il ne l'eût point posée dans les termes habituels. Mais elle se révéla une colle très dure pour Gollum. Il siffla en se parlant à lui-même, mais sans donner de réponse ; il marmonna et bredouilla.

Au bout d'un moment, Bilbo montra quelque impatience :

« Alors, qu'est-ce ? demanda-t-il. La réponse n'est pas : une bouilloire qui déborde, comme vous semblez le penser, d'après le bruit que vous faites.

– Donnez-nous une chance ; que ça nous donne une chance, mon tré-s-sor.

– Eh bien, dit Bilbo après lui avoir accordé une longue chance, quelle est votre solution ? »

Mais, soudain, Gollum se souvint de pillages de nids dans des temps très reculés, quand, sous la berge de la rivière, il apprenait à sa grand-mère à gober… « des œufs ! siffla-t-il. Des œufs, que c'est ! »

Bilbo le Hobbit

Michael Hague

Gandalf grimpa alors au sommet de l'arbre. L'éclat soudain s'échappa comme un éclair de sa baguette, tandis qu'il s'apprêtait à sauter de là-haut juste au milieu des lances des gobelins. C'eût été sa mort, bien qu'il en eût sans doute tué bon nombre en tombant comme la foudre parmi eux. Mais il ne sauta jamais.

Juste à ce moment, le Seigneur des Aigles fondit du haut des airs, le saisit dans ses serres et disparut.

Un hurlement de colère et de surprise s'éleva parmi les gobelins. Le Seigneur des Aigles, auquel Gandalf avait maintenant parlé, glapit puissamment. Les grands oiseaux qui l'accompagnaient firent demi-tour et descendirent comme d'énormes ombres noires. Les loups gémirent et grincèrent des dents ; les gobelins hurlèrent, trépignèrent de rage et lancèrent en vain leurs lourdes lances.

Bilbo le Hobbit

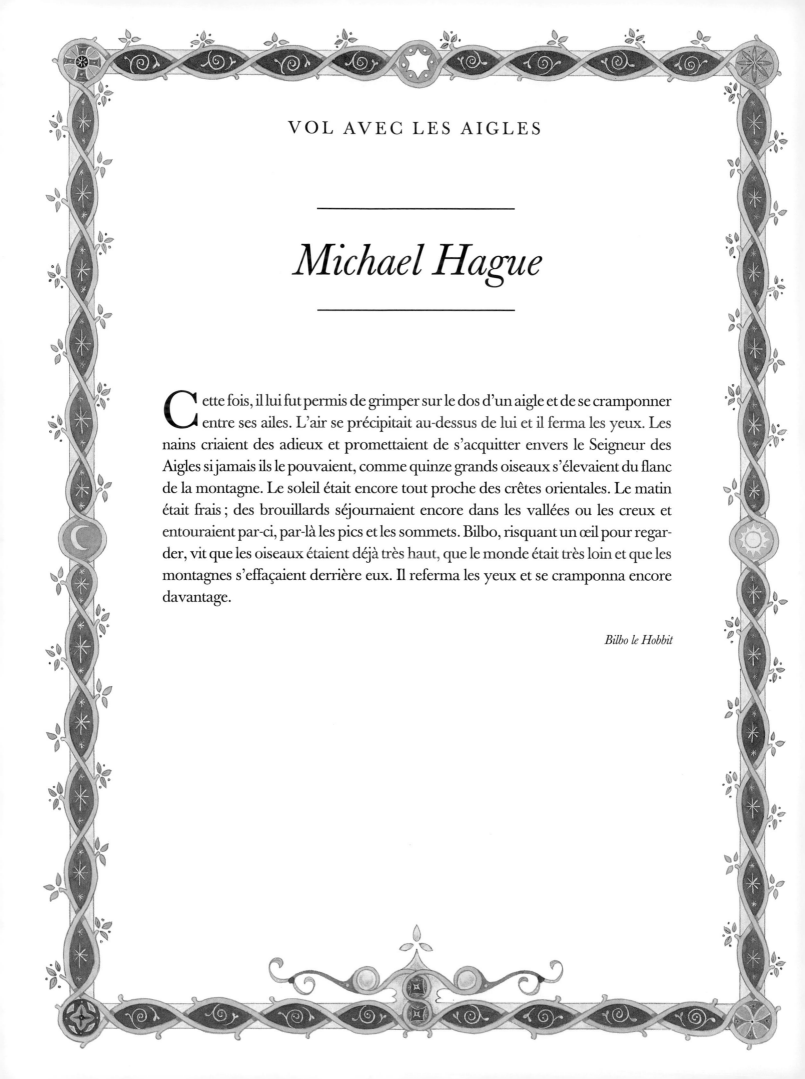

VOL AVEC LES AIGLES

Michael Hague

Cette fois, il lui fut permis de grimper sur le dos d'un aigle et de se cramponner entre ses ailes. L'air se précipitait au-dessus de lui et il ferma les yeux. Les nains criaient des adieux et promettaient de s'acquitter envers le Seigneur des Aigles si jamais ils le pouvaient, comme quinze grands oiseaux s'élevaient du flanc de la montagne. Le soleil était encore tout proche des crêtes orientales. Le matin était frais ; des brouillards séjournaient encore dans les vallées ou les creux et entouraient par-ci, par-là les pics et les sommets. Bilbo, risquant un œil pour regarder, vit que les oiseaux étaient déjà très haut, que le monde était très loin et que les montagnes s'effaçaient derrière eux. Il referma les yeux et se cramponna encore davantage.

Bilbo le Hobbit

Michael Hague

Quand Thorïn fut amené devant lui, le roi le considéra d'un œil sévère et il lui posa maintes questions. Mais tout ce que le nain consentit à répondre, ce fut qu'il était affamé.

« Pourquoi vous et les vôtres avez-vous essayé par trois fois d'attaquer mes gens au cours de leurs réjouissances ? demanda le roi.

– Nous ne les avons pas attaqués, répondit Thorïn ; nous étions venus mendier, parce que nous étions affamés.

– Où sont vos amis à présent, et que font-ils ?

– Je n'en sais rien, mais je pense qu'ils crèvent de faim dans la forêt.

– Que faisiez-vous dans la forêt ?

– Nous cherchions de quoi boire et manger parce que nous étions affamés.

– Mais qu'est-ce qui vous avait amenés là, de toute façon ? » demanda le roi avec colère.

A cette question, Thorïn serra les lèvres, refusant d'ajouter un mot.

Bilbo le Hobbit

Carol Emery Phenix

Il était étendu là, le grand dragon rouge doré, profondément endormi ; un bruit monotone venait de ses mâchoires et de ses naseaux, ainsi que des rubans de fumée, mais dans son sommeil ses feux étaient bas. Sous lui, sous tous ses membres et son immense queue et de tous côtés autour de lui, s'étendant partout sur le sol invisible, était entassée une masse de choses précieuses, or travaillé et or brut, pierres et joyaux, et argent, teintés de pourpre dans la lumière rougeoyante.

Bilbo le Hobbit

Michael Hague

Il remua et tendit le cou pour renifler. Alors, il vit que la coupe manquait. Au voleur ! Au feu ! Au meurtre ! Pareille chose ne s'était jamais produite depuis sa venue même à la Montagne ! Sa rage dépassa toute description – c'était le genre de rage des gens riches qui, possédant bien plus que ce dont ils peuvent jouir, perdent soudain ce qu'ils avaient depuis longtemps sans jamais s'en servir ou sans en avoir jamais eu besoin. Il vomit son feu, la salle fuma, il secoua le cœur de la Montagne. Il appliqua en vain sa tête au petit trou, puis développant toute sa longueur, rugissant comme le tonnerre sous la terre, il sortit vivement de son antre, passa dans les énormes couloirs du palais de la Montagne et monta vers la Grande Porte.

Bilbo le Hobbit

LA FLÈCHE NOIRE

Michael Hague

Soudain, des ténèbres quelque chose vint en voletant à son épaule. Il sursauta – mais ce n'était qu'une vieille grive. Sans crainte, elle se percha près de son oreille et elle lui apporta des nouvelles. Il s'aperçut, tout émerveillé, qu'il comprenait son langage, car il était de la race de Dale.

« Attendez ! Attendez ! lui dit-elle. La lune se lève. Guettez le creux de gauche de son poitrail quand il tournera au-dessus de vous ! »

Et comme Barde s'arrêtait, étonné, elle lui raconta ce qui s'était passé là-haut dans la Montagne et tout ce qu'elle avait entendu.

Barde amena alors la corde de son arc à son oreille. Le dragon revenait en tournoyant à faible hauteur et, comme il arrivait, la lune se leva au-dessus de la rive orientale, argentant ses grandes ailes.

« Flèche ! dit l'archer. Flèche noire ! Je t'ai gardée jusqu'au dernier moment. Tu ne m'as jamais trahi et je t'ai toujours recouvrée. Je te tiens de mon père, comme il te tenait de ceux de jadis. Si jamais tu es sortie des forges du véritable Roi sous la Montagne, va et touche au but ! »

Bilbo le Hobbit

John Howe

La mâchoire du dragon lançait des flammes. Il tournoya un moment dans les airs, haut au-dessus d'eux, illuminant tout le lac ; les arbres proches de la rive luisaient comme du cuivre et du sang avec, au pied, des ombres dansantes d'un noir opaque. Puis il fonça droit au travers de la tempête de flèches ; insoucieux dans sa rage et uniquement préoccupé d'incendier leur ville, il ne prenait aucun soin de tourner vers ses ennemis ses côtés écailleux.

Le feu jaillit des toits de chaume et des poutres tandis qu'il dévalait, passait et revenait, bien qu'on eût pris la précaution de tout asperger d'eau avant son arrivée. De nouveau, cent mains jetèrent de l'eau partout où apparaissait une étincelle. Le dragon repassa en tourbillonnant. Un coup de sa queue défonça et fit écrouler le toit de la Grand-Chambre. Des flammes inextinguibles s'élancèrent dans la nuit.

Bilbo le Hobbit

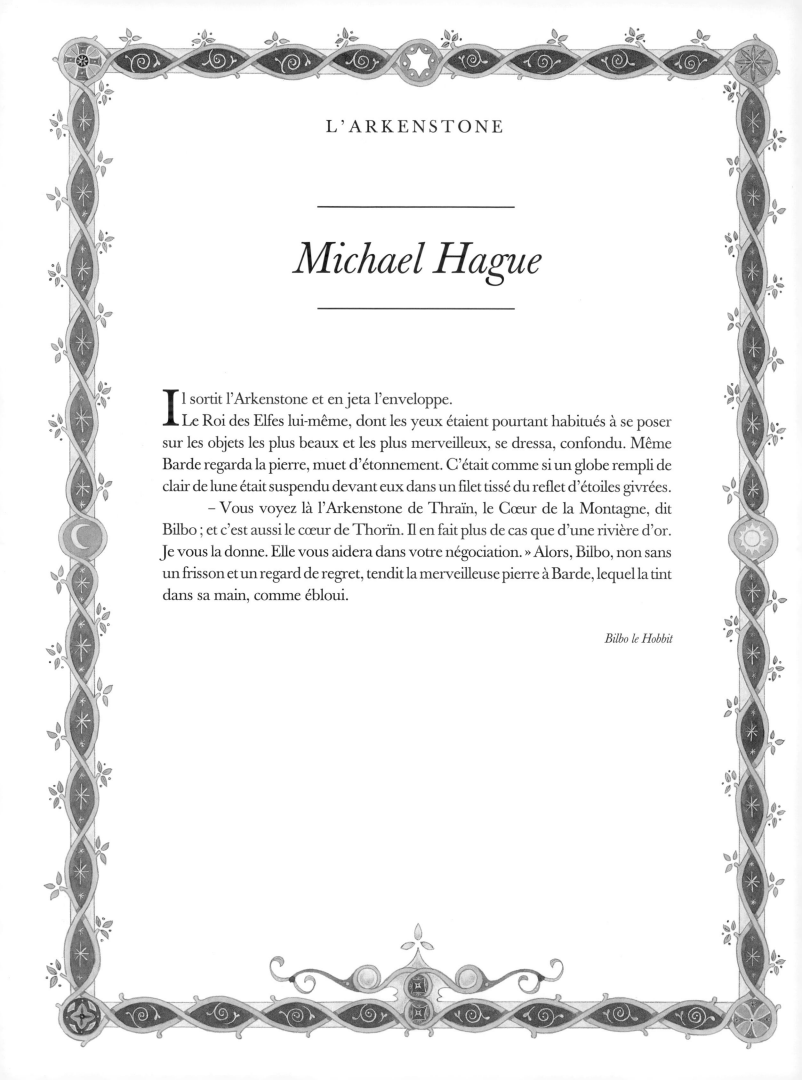

L'ARKENSTONE

Michael Hague

Il sortit l'Arkenstone et en jeta l'enveloppe.
Le Roi des Elfes lui-même, dont les yeux étaient pourtant habitués à se poser sur les objets les plus beaux et les plus merveilleux, se dressa, confondu. Même Barde regarda la pierre, muet d'étonnement. C'était comme si un globe rempli de clair de lune était suspendu devant eux dans un filet tissé du reflet d'étoiles givrées.

– Vous voyez là l'Arkenstone de Thraïn, le Cœur de la Montagne, dit Bilbo ; et c'est aussi le cœur de Thorïn. Il en fait plus de cas que d'une rivière d'or. Je vous la donne. Elle vous aidera dans votre négociation. » Alors, Bilbo, non sans un frisson et un regard de regret, tendit la merveilleuse pierre à Barde, lequel la tint dans sa main, comme ébloui.

Bilbo le Hobbit

Inger Edelfeldt

Mes Chers Amis, dit Bilbo, se levant à sa place. « Silence ! Silence ! Silence ! » crièrent-ils, ne cessant de répéter ces mots en chœur sans paraître vouloir suivre leur propre injonction. Bilbo quitta sa place et alla grimper sur une chaise sous l'arbre illuminé. La lumière des lanternes tombait sur son visage radieux ; les boutons d'or brillaient sur son gilet de soie brodée. Tous pouvaient le voir là debout, agitant une main en l'air, tandis que l'autre était enfouie dans la poche de son pantalon.

Mes Chers Sacquet et Bophin, reprit-il, et mes chers Touque et Brandebouc, Fouille, Boulot, Fouine, Sonnecor, Bolger, Sanglebuc, Bravet, Trougrisard et Fierpied... Et aussi mes bons Sacquet de Besace, dont le retour enfin à Cul-de-Sac est le bienvenu. Ce jour est celui de mon cent onzième anniversaire : j'ai undécante-un ans aujourd'hui !

La Communauté de l'Anneau

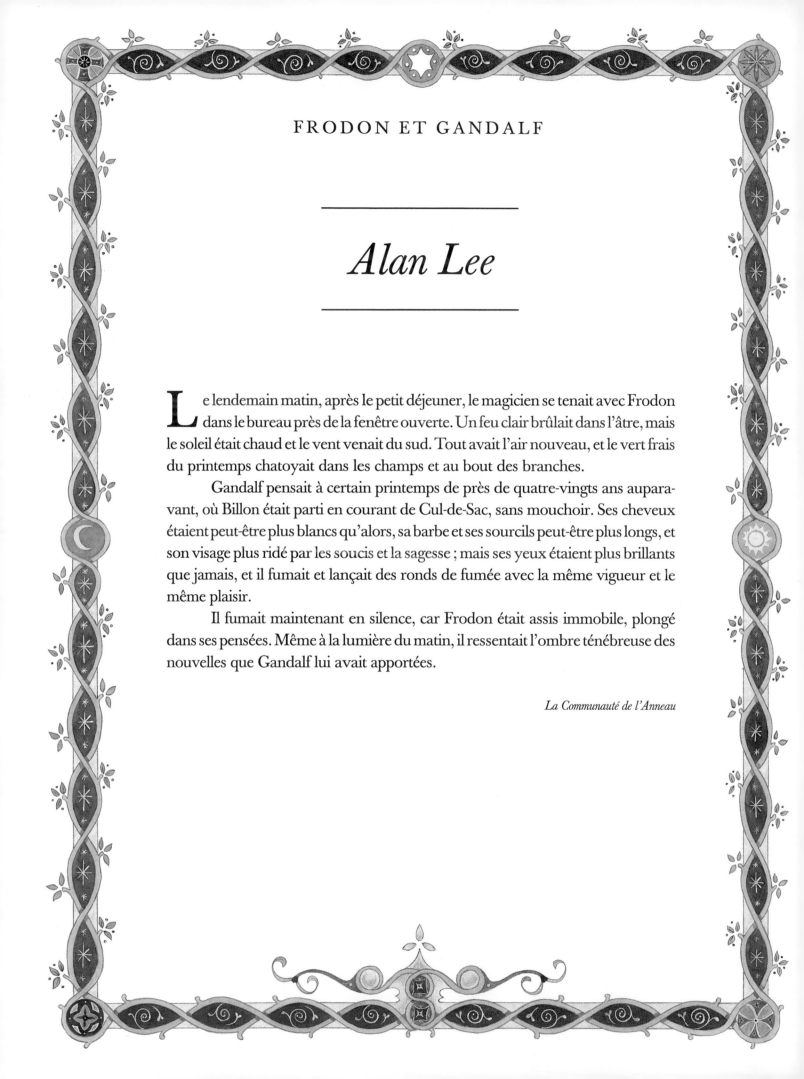

Alan Lee

L e lendemain matin, après le petit déjeuner, le magicien se tenait avec Frodon dans le bureau près de la fenêtre ouverte. Un feu clair brûlait dans l'âtre, mais le soleil était chaud et le vent venait du sud. Tout avait l'air nouveau, et le vert frais du printemps chatoyait dans les champs et au bout des branches.

Gandalf pensait à certain printemps de près de quatre-vingts ans auparavant, où Billon était parti en courant de Cul-de-Sac, sans mouchoir. Ses cheveux étaient peut-être plus blancs qu'alors, sa barbe et ses sourcils peut-être plus longs, et son visage plus ridé par les soucis et la sagesse ; mais ses yeux étaient plus brillants que jamais, et il fumait et lançait des ronds de fumée avec la même vigueur et le même plaisir.

Il fumait maintenant en silence, car Frodon était assis immobile, plongé dans ses pensées. Même à la lumière du matin, il ressentait l'ombre ténébreuse des nouvelles que Gandalf lui avait apportées.

La Communauté de l'Anneau

Ted Nasmith

La marche de la journée promettait d'être chaude et fatigante. Après quelques milles, toutefois, la route cessa de monter et descendre ; elle grimpa en zigzags jusqu'au sommet d'une arête escarpée, d'où elle ménageait une dernière descente. Devant eux, ils virent la plaine pointillée de petits bouquets d'arbres qui se fondaient au loin en une brume brunâtre de forêts. Leur regard portait par-dessus le Bout-des-Bois en direction de Brandevin. La route se déroulait devant eux comme un cordon.

– La route se poursuit sans fin, dit Pippin ; mais je ne peux pas continuer sans me reposer. Il est grand temps de déjeuner.

La Communauté de l'Anneau

Ted Nasmith

Les feuilles des arbres luisaient, et chaque brindille dégouttait ; l'herbe était grise de rosée froide. Tout était tranquille, et les bruits lointains paraissaient proches et nets : volailles caquetant dans une cour, quelqu'un fermant la porte d'une maison éloignée.

Ils trouvèrent les poneys dans leur hangar, de robustes petites bêtes, de la sorte qu'aiment les Hobbits, peu rapides, mais excellentes pour la tâche d'une longue journée. Ils se mirent en selle, et bientôt ils furent partis dans la brume qui semblait ne s'ouvrir qu'à contrecœur pour se refermer d'un air rébarbatif derrière eux. Après avoir chevauché une heure environ, lentement et sans parler, ils virent la haie se dessiner soudain en avant d'eux. Elle était haute et couverte d'un filet argenté de toiles d'araignées.

La Communauté de l'Anneau

Roger Garland

Frodon et Sam se tenaient comme sous l'effet d'un enchantement. Le vent lança une dernière bouffée. Les feuilles pendirent de nouveau silencieuses aux branches raides. La chanson jaillit derechef, et puis, soudain, sautant et dansant dans le sentier, parut au-dessus des roseaux un vieux chapeau cabossé à haute calotte, avec une longue plume bleue fichée dans le ruban. Un nouveau sautillement et un bond amenèrent en vue un homme, ou tout au moins le semblait-il. En tout cas, il était de trop forte carrure et trop lourd pour un Hobbit, s'il n'était pas tout à fait d'assez haute taille pour être un des Grandes Gens, bien qu'il fît assez de bruit pour cela, clopinant sur d'épaisses jambes couvertes de grandes bottes jaunes et chargeant à travers l'herbe et les joncs comme une vache qui descend boire. Il avait un manteau bleu et une longue barbe brune ; ses yeux étaient bleus et brillants, et sa figure d'un rouge de pomme mûre, mais plissée de mille rides de rire. Il portait dans ses mains sur une grande feuille comme sur un plateau un petit tas de lis d'eau blancs.

La Communauté de l'Anneau

Ted Nasmith

Soudain commença un chant : un froid murmure, qui s'élevait et retombait.

> Froids soient la main et le cœur et les os,
> Et froid soit le sommeil sous la pierre :
> Pour ne plus jamais s'éveiller sur son lit pierreux,
> Jamais jusqu'à ce que le soleil fasse défaut et que la lune soit morte.
> Dans le vent noir les étoiles mourront,
> Et encore sur l'or qu'ils restent gisant
> Jusqu'à ce que le seigneur ténébreux lève sa main
> Sur la mer morte et la terre desséchée.

Il entendit derrière sa tête un grincement et un grattement. Se redressant sur un bras, il regarda et vit alors dans la pâle lumière qu'il y avait une sorte de passage qui, derrière eux, faisait un coude. Dans celui-ci, un long bras tâtonnait, marchant sur les doigts vers Sam, qui était étendu le plus près, et vers la poignée de l'épée posée sur lui.

La Communauté de l'Anneau

Alan Lee

Les feuilles étaient longues, l'herbe était verte,
Les ombrelles de ciguë hautes et belles.
Et dans la clairière se voyait une lumière
D'étoiles dans l'ombre scintillant.
Là, dansait Tinúviel
Sur la musique d'un pipeau invisible,
Et la lumière des étoiles était dans ses cheveux,
Et dans ses vêtements miroitants.

Là, vint Beren des montagnes froides
Et perdu, il erra sous les feuilles,
Et où roulait la Rivière des Elfes
Il marchait seul et affligé.
Il regarda au travers des feuilles de ciguë
Et vit, étonné, des fleurs d'or
Sur la mante et les manches de la vierge,
Et ses cheveux comme une ombre suivant.

La Communauté de l'Anneau

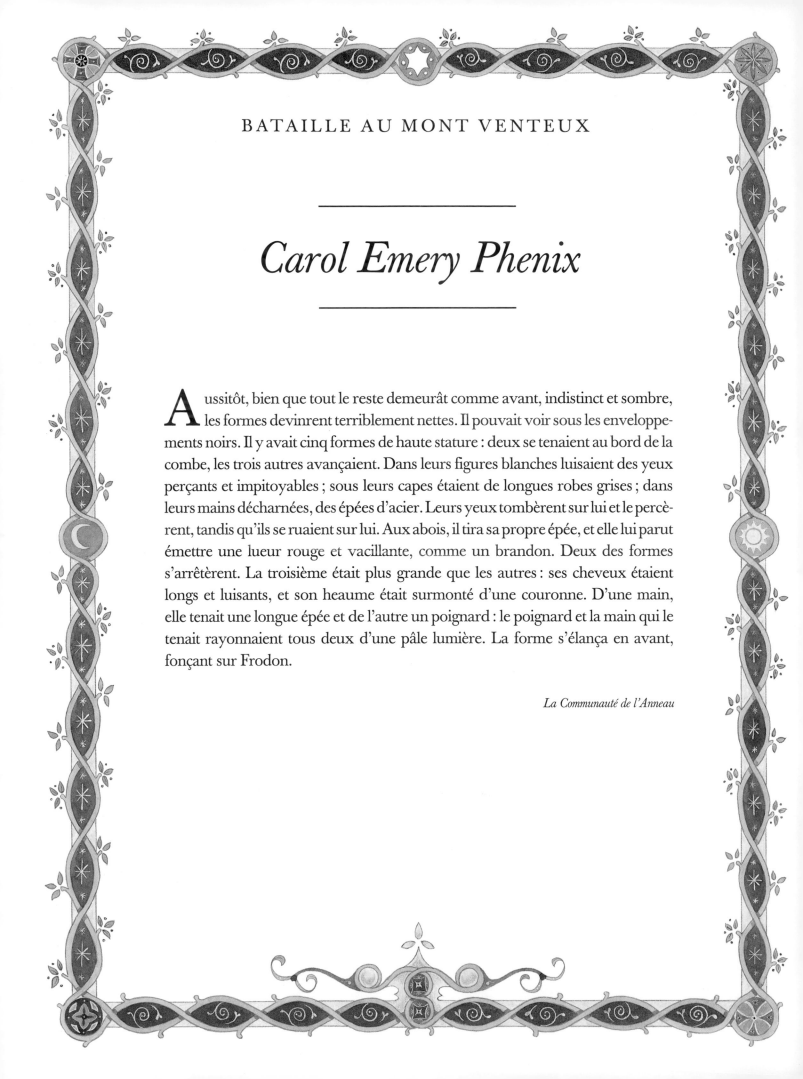

Carol Emery Phenix

Aussitôt, bien que tout le reste demeurât comme avant, indistinct et sombre, les formes devinrent terriblement nettes. Il pouvait voir sous les enveloppements noirs. Il y avait cinq formes de haute stature : deux se tenaient au bord de la combe, les trois autres avançaient. Dans leurs figures blanches luisaient des yeux perçants et impitoyables ; sous leurs capes étaient de longues robes grises ; dans leurs mains décharnées, des épées d'acier. Leurs yeux tombèrent sur lui et le percèrent, tandis qu'ils se ruaient sur lui. Aux abois, il tira sa propre épée, et elle lui parut émettre une lueur rouge et vacillante, comme un brandon. Deux des formes s'arrêtèrent. La troisième était plus grande que les autres : ses cheveux étaient longs et luisants, et son heaume était surmonté d'une couronne. D'une main, elle tenait une longue épée et de l'autre un poignard : le poignard et la main qui le tenait rayonnaient tous deux d'une pâle lumière. La forme s'élança en avant, fonçant sur Frodon.

La Communauté de l'Anneau

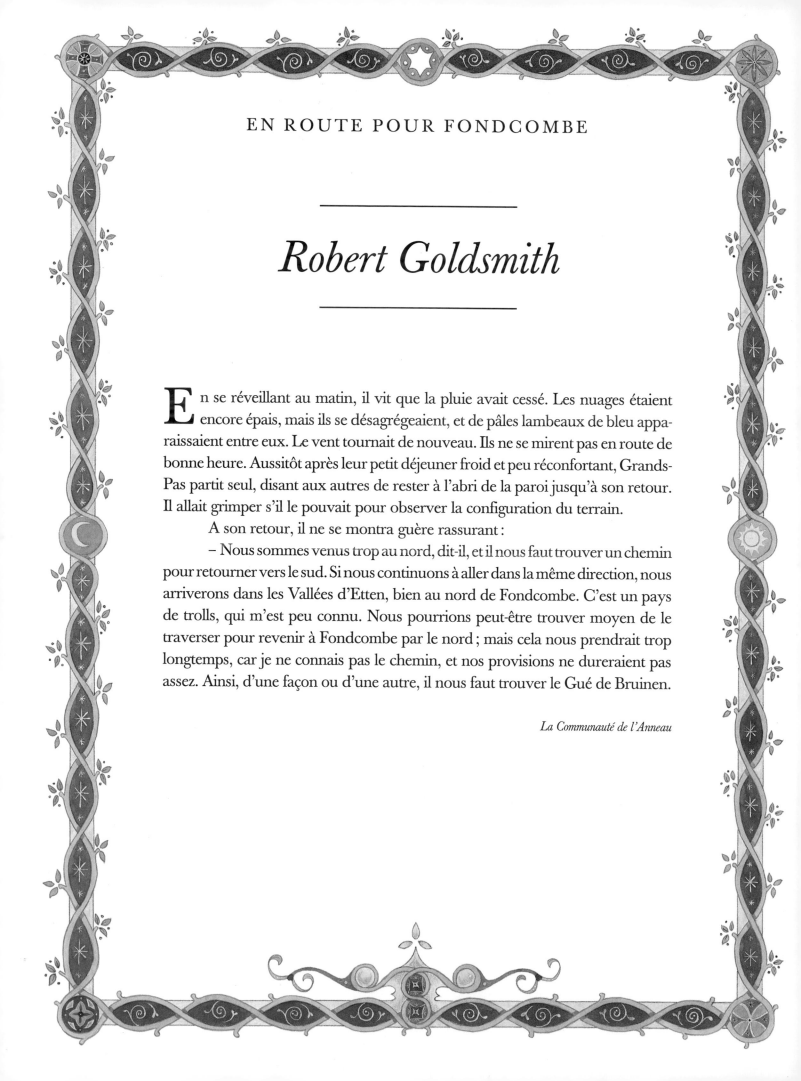

Robert Goldsmith

En se réveillant au matin, il vit que la pluie avait cessé. Les nuages étaient encore épais, mais ils se désagrégeaient, et de pâles lambeaux de bleu apparaissaient entre eux. Le vent tournait de nouveau. Ils ne se mirent pas en route de bonne heure. Aussitôt après leur petit déjeuner froid et peu réconfortant, Grands-Pas partit seul, disant aux autres de rester à l'abri de la paroi jusqu'à son retour. Il allait grimper s'il le pouvait pour observer la configuration du terrain.

A son retour, il ne se montra guère rassurant :

– Nous sommes venus trop au nord, dit-il, et il nous faut trouver un chemin pour retourner vers le sud. Si nous continuons à aller dans la même direction, nous arriverons dans les Vallées d'Etten, bien au nord de Fondcombe. C'est un pays de trolls, qui m'est peu connu. Nous pourrions peut-être trouver moyen de le traverser pour revenir à Fondcombe par le nord ; mais cela nous prendrait trop longtemps, car je ne connais pas le chemin, et nos provisions ne dureraient pas assez. Ainsi, d'une façon ou d'une autre, il nous faut trouver le Gué de Bruinen.

La Communauté de l'Anneau

Alan Lee

L e soleil était à présent haut ; il brillait à travers les branches à demi dénudées, illuminant la clairière de taches brillantes. Ils s'arrêtèrent soudain au bord et scrutèrent à travers les troncs d'arbres, retenant leur souffle. Là se tenaient les trolls : trois trolls de forte carrure. L'un d'eux s'était baissé, et les deux autres l'observaient.

Grands-Pas s'avança d'un air dégagé :

– Relève-toi, vieille pierre ! dit-il, et il brisa son bâton sur le dos du troll penché.

Rien ne se produisit. Il y eut un sursaut d'étonnement chez les Hobbits et, alors, même Frodon se mit à rire :

– Eh bien ! dit-il. Nous oublions notre histoire de famille ! Ce doivent être les trois que Gandalf avait attrapés en train de se quereller sur la meilleure façon de cuire treize Nains et un Hobbit.

La Communauté de l'Anneau

Ted Nasmith

Par Elbereth et Luthien la Belle, dit Frodon dans un dernier effort, brandissant son épée, vous n'aurez ni l'Anneau ni moi !

Alors, le chef, qui était déjà au milieu du Gué, se dressa menaçant sur ses étriers et leva la main. Frodon fut frappé de mutisme. Il sentit sa langue se coller à son palais et son cœur battre à tout rompre. Son épée se brisa et tomba de sa main tremblante. Le cheval elfique se dressa et s'ébroua. Le premier des chevaux noirs avait presque posé pied sur la rive.

A ce moment vint un grondement précipité : le retentissement de flots roulant tumultueusement une grande quantité de pierres. Frodon vit indistinctement en dessous de lui s'élever la rivière, dans le lit de laquelle chargeait une cavalerie de vagues empanachées. Des flammes blanches parurent à Frodon papilloter sur les crêtes, et il imagina presque voir dans l'eau des cavaliers blancs sur des blancs chevaux aux crinières bouillonnantes.

La Communauté de l'Anneau

Tony Galuidi

« – Les Neuf sont sortis de nouveau, répondis-je. Ils ont traversé la rivière. C'est ce que m'a dit Radagast. »

« Radagast le Brun ! » s'écria Saroumane, riant – et il ne cacha pas son dédain. « Radagast, l'apprivoiseur d'oiseaux ! Radagast le Simple ! Radagast le Benêt ! Il a pourtant eu juste l'intelligence nécessaire pour le rôle que je lui ai confié. Car vous êtes venu, et c'était tout le but de mon mesage. Et vous allez rester ici, Gandalf le Gris, et vous reposer de vos voyages. Car je suis Saroumane le Sage, Saroumane le Créateur d'Anneaux, Saroumane le Multicolore ! »

La Communauté de l'Anneau

Ted Nasmith

Ils traversèrent le passage, mais à peine Frodon avait-il touché terre, que dans un profond grognement descendit de la montagne une avalanche de pierres et de neige. Le poudroiement en aveugla à demi la Compagnie, tandis que tous se tapissaient contre la falaise, et quand l'air s'éclaircit de nouveau, ils virent que le sentier était bloqué derrière eux.

    – Assez ! Assez ! s'écria Gimli. On s'en va aussi vite que possible !

    Et, de fait, ce dernier coup semblait avoir épuisé la malice de la montagne, comme si le Caradhras fut persuadé que les envahisseurs avaient été repoussés et qu'ils n'oseraient revenir.

La Communauté de l'Anneau

Alan Lee

A un mille au sud le long de la rive, ils tombèrent sur des houx. Des chicots et des branches mortes pourrissaient dans les bas-fonds, restes, semblait-il, d'anciens halliers ou d'une haie qui bordait autrefois la route traversant la vallée noyée. Mais tout contre la falaise, se dressaient, encore forts et vivants, deux grands arbres, plus gros que tous les houx que Frodon eût jamais vus ou imaginés. Les amples racines s'étendaient du mur jusqu'à l'eau. Sous les falaises dressées dans le crépuscule, ils avaient paru, vus de loin du haut de l'Escalier, n'être que de simples buissons ; mais à présent, ils dominaient les têtes, raides, noirs et silencieux, projetant de profondes ombres nocturnes autour des pieds des voyageurs, et ils se dressaient comme des colonnes gardant le bout de la route.

– Eh bien, nous y voici enfin ! dit Gandalf. Ici se terminait la route elfique de Houssaye. Le houx était le signe des gens de ce pays, et ils le plantèrent ici pour marquer la fin de leur domaine ; car la Porte de l'Ouest fut faite surtout à leur usage, pour leur commerce avec les Seigneurs de la Moria. C'étaient alors des temps plus heureux, où il régnait encore parfois une amitié étroite entre gens de race différente, même entre les Nains et les Elfes.

La Communauté de l'Anneau

John Howe

Quand le soir dans la Comté était gris,
Ses pas sur la colline résonnèrent ;
Avec l'aurore il s'en alla
Pour un long voyage sans dire un mot.

De la Terre Sauvage à la rive occidentale,
Par antres de dragons et porte cachée,
Du désert nordique à la colline méridionale
Et par les sombres bois, il erra à son gré.
Par antres de dragons et porte cachée.

La Communauté de l'Anneau

Alan Lee

Par un long escalier, la Dame descendit dans un profond creux vert, dans lequel coulait en murmurant le ruisseau d'argent issu de la source de la colline. Au fond, sur un socle bas sculpté en forme d'arbre rameux, se trouvaient une vasque d'argent, large et peu profonde, et à côté, une aiguière de même métal.

Galadriel emplit la vasque jusqu'au bord de l'eau du ruisseau et souffla dessus, et quand l'eau eut retrouvé l'immobilité, elle parla :

– Voici le Miroir de Galadriel, dit-elle. Je vous ai amenés ici pour vous permettre de regarder dedans, si vous le désirez.

L'air était très immobile, le vallon sombre, et la Dame–Elfe à côté de lui grande et pâle.

– Qu'y chercherons-nous, et que verrons-nous ? demanda Frodon, empli d'une crainte respectueuse.

La Communauté de l'Anneau

Alan Lee

Errant tout d'abord sans but dans le bois, Frodon s'aperçut que ses pas le menaient vers les pentes de la colline. Il arriva à un sentier, reste amenuisé d'une route du temps jadis. Aux endroits escarpés, des marches avaient été taillées dans la pierre, mais elles étaient à présent crevassées, usées et délitées par les racines d'arbres. Il grimpa quelque temps sans se soucier de sa direction, jusqu'au moment où il arriva à un endroit herbeux. Des sorbiers poussaient alentour, et au milieu il y avait une large pierre plate. La petite pelouse de la colline était dégagée vers l'est, et elle se trouvait pour lors inondée du soleil matinal. Frodon s'arrêta et contempla, par-delà le fleuve qui coulait loin en dessous de lui, Tol Brandir et les oiseaux qui tournoyaient dans le grand espace d'air entre lui et l'île vierge. La voix de Rauros était un puissant fracas mêlé d'un grondement profond.

La Communauté de l'Anneau

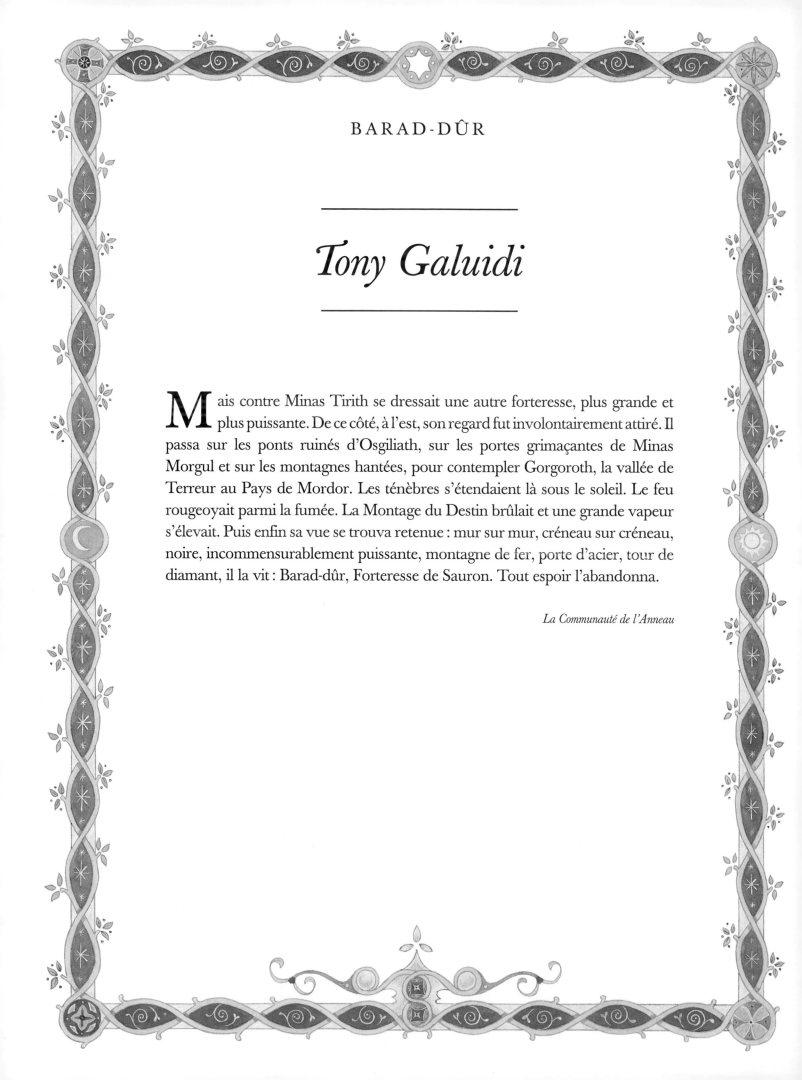

Tony Galuidi

Mais contre Minas Tirith se dressait une autre forteresse, plus grande et plus puissante. De ce côté, à l'est, son regard fut involontairement attiré. Il passa sur les ponts ruinés d'Osgiliath, sur les portes grimaçantes de Minas Morgul et sur les montagnes hantées, pour contempler Gorgoroth, la vallée de Terreur au Pays de Mordor. Les ténèbres s'étendaient là sous le soleil. Le feu rougeoyait parmi la fumée. La Montage du Destin brûlait et une grande vapeur s'élevait. Puis enfin sa vue se trouva retenue : mur sur mur, créneau sur créneau, noire, incommensurablement puissante, montagne de fer, porte d'acier, tour de diamant, il la vit : Barad-dûr, Forteresse de Sauron. Tout espoir l'abandonna.

La Communauté de l'Anneau

Roger Garland

– Vous ne pouvez passer, dit-il.

Les orques restèrent immobiles, et un silence de mort tomba.

– Je suis un serviteur du Feu Secret, qui détient la flamme d'Anor. Vous ne pouvez passer. Le feu sombre ne vous servira de rien, flamme d'Udûn. Retournez à l'Ombre ! Vous ne pouvez passer.

Le Balrog ne répondit rien. Le feu parut s'éteindre en lui, mais l'obscurité grandit. La forme s'avança lentement sur le pont ; elle se redressa soudain jusqu'à une grande stature, et ses ailes s'étendirent d'un mur à l'autre ; mais Gandalf était toujours visible, jetant une faible lueur dans les ténèbres ; il semblait petit et totalement seul : gris et courbé comme un arbre desséché devant l'assaut d'un orage.

De l'ombre, une épée rouge sortit, flamboyante.

Glamdring répondit par un éclair blanc.

Il y eut un cliquetis retentissant et une estocade de feu blanc. Le Balrog tomba à la renverse, et son épée jaillit en fragments fondus. Le magicien vacilla sur le pont, recula d'un pas, puis se tint de nouveau immobile.

– Vous ne pouvez passer ! dit-il.

La Communauté de l'Anneau

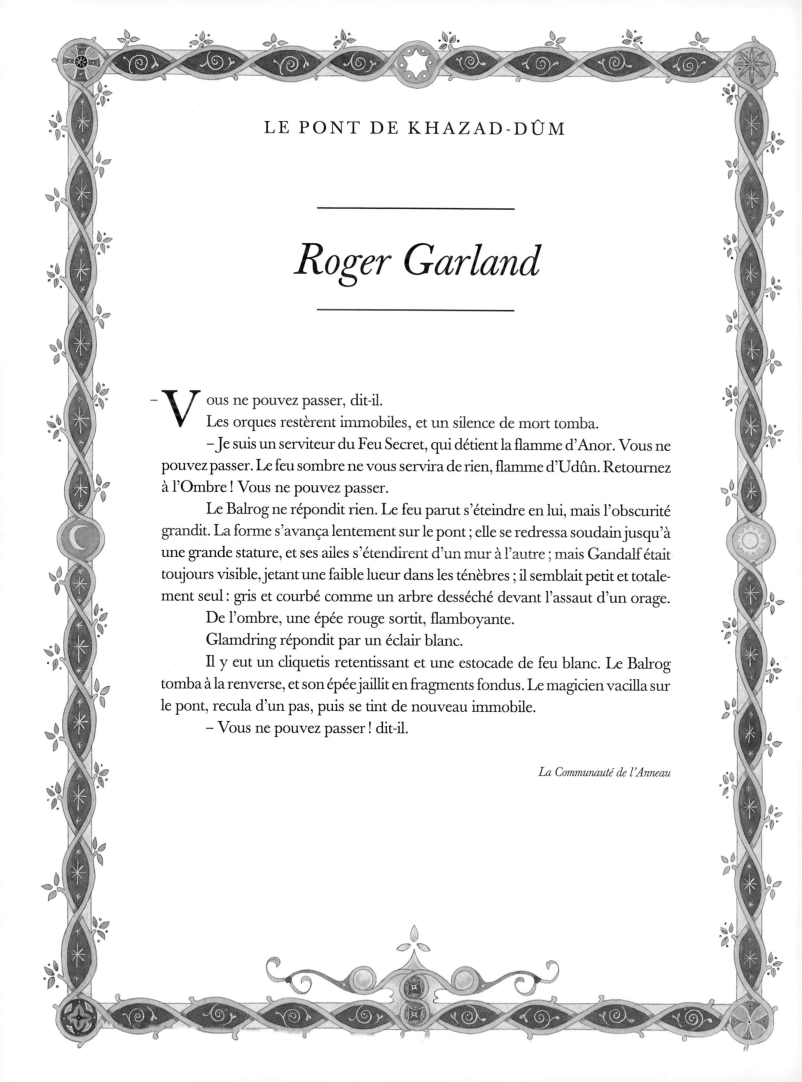

LE BALROG

Ted Nasmith

D'un bond, le Balrog sauta au mileu du pont. Son fouet tournoya en sifflant.
– Il ne peut résister seul ! cria soudain Aragorn, qui revint en courant sur le pont :

– Elendil ! cria-t-il. Je suis avec vous, Gandalf.

– Gondor ! cria Boromir, s'élançant derrière lui.

A ce moment, Gandalf leva son bâton et, criant d'une voix forte, il frappa le pont devant lui. Le bâton se brisa en deux et tomba de sa main. Un aveuglant rideau de flamme blanche jaillit. Le pont craqua. Il se rompit juste au pied du Balrog, et la pierre sur laquelle il se tenait s'écroula dans le gouffre, tandis que le reste demeurait en un équilibre frémissant comme une langue de rocher projetée dans le vide.

La Communauté de l'Anneau

Ted Nasmith

A un mille peut-être de Parth Galen, il trouva Boromir dans une petite clairière proche du lac. Il était assis le dos contre un grand arbre, comme s'il se reposait. Mais Aragorn vit qu'il était percé de maintes flèches empennées de noir, il avait encore l'épée à la main, mais elle était brisée près de la garde ; son cor, fendu en deux, se trouvait à son côté. Un grand nombre d'Orques abattus gisaient autour de lui et à ses pieds.

Aragorn s'agenouilla à côté de lui. Boromir ouvrit les yeux et s'efforça de parler. Les mots finirent par sortir lentement : – J'ai essayé de prendre l'Anneau à Frodon, dit-il. Je regrette. J'ai payé. Il laissa vaguer son regard sur ses ennemis tombés ; une trentaine au moins gisaient là.

– Ils sont partis : les Semi-hommes ; les Orques les ont pris. Je crois qu'ils ne sont pas morts. Des Orques les ont ligotés. Il se tut, et ses yeux se fermèrent avec lassitude. Au bout d'un moment, il parla de nouveau :

– Adieu, Aragorn ! Va à Minas Tirith et sauve mon peuple ! J'ai échoué.

– Non ! dit Aragorn, lui prenant la main et lui baisant le front. Tu as vaincu. Peu d'hommes ont remporté une pareille victoire. Sois en paix ! Minas Tirith ne tombera pas !

Les Deux Tours

John Howe

Il n'y a pas le temps de les tuer convenablement, dit l'un. On n'a pas le temps de s'amuser dans ce voyage.

– On n'y peut rien, dit un autre. Mais pourquoi ne pas les expédier en vitesse, les tuer tout de suite ? Ils nous encombrent fichtrement, et nous sommes pressés. Le Soir tombe, et nous devrions partir.

– Les ordres, grogna un troisième d'une voix profonde : Tuez-les tous, mais PAS de Semi-Hommes ; vous devez les ramener VIVANTS aussi rapidement que possible. Voilà mes ordres.

– Pourquoi les veut-on ? demandèrent plusieurs voix. Pourquoi vivants ? Offrent-ils un bon divertissement ?

– Non ! j'ai entendu dire que l'un d'eux possédait quelque chose, quelque chose qui est nécessaire à la Guerre, quelque artifice elfique. En tout cas, ils seront tous deux interrogés.

– Est-ce tout ce que tu sais ? Pourquoi ne les fouillons-nous pas pour découvrir la vérité ? On trouverait peut-être quelque chose dont nous pourrions nous servir nous-mêmes.

– Voilà une remarque très intéressante, fit une voix sarcastique, plus douce mais plus mauvaise que les autres. Il se peut que j'aie à en rendre compte. Les prisonniers ne doivent PAS être fouillés ni dépouillés : ce sont là mes ordres.

Les Deux Tours

Ted Nasmith

– Hem ! Nous y voici ! dit Sylvebarbe, rompant son long silence. Je vous ai portés sur environ soixante-dix mille pas d'Ent, mais je ne sais pas ce que cela fait selon la mesure de votre pays. En tout cas, nous nous trouvons près des racines de la Dernière Montagne. Une partie du nom de cet endroit pourrait se traduire dans votre langage par la Salle du Jaillissement. Je m'y plais. Nous resterons ici pour la nuit. Il les déposa sur l'herbe entre les bas-côtés d'arbres, et ils le suivirent vers la grande arche.

Sylvebarbe se tint un moment sous la pluie de la source, et il respira profondément ; puis il rit et passa à l'intérieur. Il y avait là une grande table de pierre, mais pas de chaises. Le fond de la baie était déjà tout à fait sombre. Sylvebarbe souleva deux grands récipients, qu'il plaça sur la table. Ils paraissaient être remplis d'eau ; mais il tint les mains au-dessus, et ils commencèrent aussitôt à rayonner l'un d'une lumière dorée et l'autre d'une riche lumière verte ; et le mélange des deux éclaira la baie comme si le soleil d'été brillait au travers d'une voûte de jeunes feuilles.

Les Deux Tours

Alan Lee

Là-dessus, les trois chasseurs plongèrent dans la forêt de Fangorn. Legolas et Gimli laissèrent le pistage à Aragorn. Il n'avait guère d'éléments. Le sol de la forêt était sec et couvert d'un amoncellement de feuilles ; mais, devinant que les fugitifs resteraient près de l'eau, il retournait souvent au bord de la rivière. C'est ainsi qu'il arriva à l'endroit où Merry et Pippin avaient bu et s'étaient baigné les pieds. Là, bien visibles à tous, se détachaient les empreintes des deux Hobbits, l'une un peu plus petite que l'autre.

– Voilà une bonne nouvelle, dit Aragorn. Mais ces marques sont vieilles de deux jours. Et il semble qu'à ce point, les Hobbits aient quitté le bord de l'eau.

– Qu'allons-nous faire maintenant, alors ? demanda Gimli. On ne peut pas les poursuivre dans toute l'épaisseur de Fangorn. Nous sommes venus mal approvisionnés. Si on ne les trouve pas vite, on ne leur sera d'aucune utilité, sinon pour nous asseoir auprès d'eux et leur montrer notre amitié en mourant de faim ensemble.

– Si c'est là vraiment tout ce que nous pouvons faire, eh bien, il faut le faire, dit Aragorn. Poursuivons notre route.

Les Deux Tours

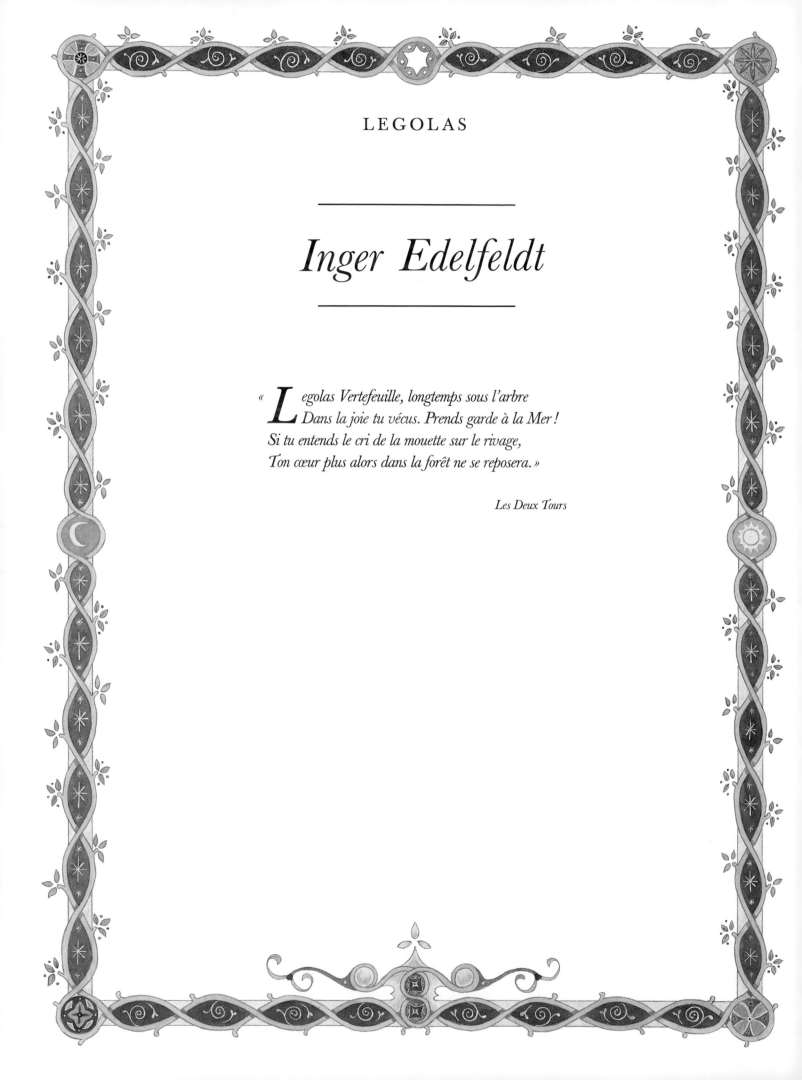

LEGOLAS

Inger Edelfeldt

« *Legolas Vertefeuille, longtemps sous l'arbre*
Dans la joie tu vécus. Prends garde à la Mer !
Si tu entends le cri de la mouette sur le rivage,
Ton cœur plus alors dans la forêt ne se reposera. »

Les Deux Tours

Ted Nasmith

Les gemmes, les cristaux et les veines de minerais précieux étincellent dans les murs polis ; et la lumière rayonne à travers les marbres plissés, semblables à des coquillages, translucides comme les vivantes mains de la Reine Galadriel. Il y a des colonnes blanches, safran et d'un rose d'aurore, cannelées et contournées en formes de rêve, Legolas ; elles jaillissent de sols multicolores pour rejoindre les pendentifs scintillants de la voûte : des ailes, des cordes, des rideaux aussi fins que des nuages gelés ; des lances, des bannières, des clochetons de palais suspendus ! Des lacs immobiles les reflètent : un monde miroitant surgit de sombres mares couvertes de verre clair : des cités, telles que Durin n'aurait guère pu en imaginer dans son sommeil, s'étendent par des avenues et des portiques jusqu'aux recoins sombres où nulle lumière ne parvient. Et ding ! une goutte d'argent tombe et les ondulations circulaires du miroir font courber et vaciller toutes les tours comme les algues et les coraux d'une grotte marine.

Les Deux Tours

John Howe

— J'ai pris la boule et je l'ai regardée, balbutia Pippin ; et j'y ai vu des choses qui m'ont effrayé. J'ai voulu partir, et je ne le pouvais pas. Et puis il est venu et il m'a interrogé ; et il m'a regardé, et... et c'est tout ce que je me rappelle.

– Cela ne suffit pas, dit sévèrement Gangalf. Qu'avez-vous vu et qu'avez-vous dit ?

D'une voix basse et hésitante, Pippin reprit la parole, et ses mots se firent lentement plus clairs et plus forts. – J'ai vu un ciel sombre et de hauts remparts, dit-il. Et de toutes petites étoiles. Cela paraissait être très loin et très ancien, mais dur et clair. Puis les étoiles s'allumaient et s'éteignaient – elles étaient interceptées par quelque chose d'ailé. Très grand, je crois, vraiment ; mais dans le cristal, on aurait dit des chauves-souris virevoltant autour de la tour. J'ai cru en voir neuf. L'une s'est mise à voler droit vers moi ; elle devenait de plus en plus grosse.

Les Deux Tours

Inger Edelfeldt

Arrachant ses mains de la frondrière, il se rejeta en arrière en criant. – Il y a dans l'eau des choses mortes, des faces mortes, dit-il avec horreur. Des faces mortes !

Gollum rit. – Les Marais des Morts, oui, oui ; : c'est comme ça qu'ils s'appellent, dit-il avec un ricanement. Il vaut mieux ne pas regarder dedans quand les chandelles sont allumées.

– Qui est-ce ? Qu'est-ce ? demanda Sam frissonnant et se tournant vers Frodon, qui se trouvait alors derrière lui.

– Je ne sais pas, dit Frodon, d'une voix de rêve. Mais je les ais vues aussi. Dans les mares, quand les chandelles sont allumées. Elles gisent dans toutes les mares, ces faces pâles au plus profond de ces eaux sombres. De fiers et beaux visages en grand nombre, avec des algues dans leur chevelure d'argent. Mais tous immondes, pourrissants, tous morts.

Les Deux Tours

Inger Edelfeldt

Ebahi et terrifié, mais pour sa joie durable, Sam vit une vaste forme sortir des arbres fracassés et se précipiter sur la pente. Elle lui parut grande comme une maison, bien plus grande qu'une maison : une colline grise en mouvement. La peur et l'étonnement la magnifiaient peut-être aux yeux du Hobbit, mais le Mûmak de Harad était en vérité une bête de vaste volume, et il ne s'en promène plus de semblable à présent en Terre du Milieu ; ceux de son espèce qui vivent encore de nos jours n'offrent plus qu'un souvenir de sa corpulence et de sa majesté. Il avança droit sur les guetteurs, et puis il se détourna au dernier moment pour passer seulement à quelques mètres, faisant trembler la terre sous ses pieds : ses grandes pattes étaient semblables à des arbres, ses oreilles énormes étaient étendues comme des voiles, son long mufle était levé comme un serpent sur le point de foncer, ses petits yeux rouges étaient remplis de fureur. Des cercles d'or ceignaient ses défenses en forme de cornes relevées, dégouttantes de sang. Son caparaçon d'écarlate et d'or voltigeait autour de lui en lambeaux désordonnés. Il portait sur son dos bondissant des ruines qui paraissaient celles d'une tour de guerre, fracassée dans sa furieuse traversée des bois ; et, haut sur son cou, s'accrochait encore désespérément une minuscule forme – le corps d'un puissant guerrier, un géant parmi les Moricauds.

Les Deux Tours

John Howe

L e malheureux se trouvait alors juste sous elle, hors de portée de ses piqûres et de ses griffes. Sa vaste panse le dominait, avec sa lueur putride, et la puanteur l'abattait presque. La furie de Sam tint pourtant assez pour lui faire porter encore un coup, et, avant qu'elle ne pût se laisser tomber sur lui et l'étouffer lui et son impudent petit courage, il la sabra de sa brillante lame elfique avec une force désespérée.

La bête fléchit sous le coup, puis elle souleva le gros sac de son ventre haut au-dessus de la tête de Sam. Le poison sortit, moussant et bouillonnant, de la blessure. Alors, écartant ses pattes, elle amena de nouveau sur lui son énorme masse. Trop tôt. Car Sam était toujours debout ; laissant tomber sa propre épée, il tint des deux mains la lame elfique pointe en l'air, parant la descente de cet horrible plafond ; et ainsi Arachne se jeta sur la pointe implacable avec toute la force motrice de sa propre volonté cruelle, avec une vigueur plus grande que celle d'aucune main de guerrier. La pointe pénétra de plus en plus profondément à mesure que Sam était lentement écrasé contre le sol.

Les Deux Tours

John Howe

Et là où les Montagnes Blanches de l'Ered Nimrais prenaient fin, il vit, comme Gandalf l'avait annoncé, la masse sombre du Mont Mindolluin, les profondes ombres pourpres de ses hautes gorges et sa face supérieure qui blanchissait dans le jour croissant. Et sur son avancée se trouvait la Côte Gardée, avec ses sept murs de pierre si forts et si anciens qu'elle ne semblait pas construite, mais taillée par les géants dans l'ossature même de la terre.

Tandis que Pippin regardait avec étonnement, les murs passèrent d'un gris estompé au blanc, légèrement rosissant avec l'aurore ; et soudain, le soleil grimpa au-dessus de l'ombre à l'est et lança un rayon qui frappa la face de la Cité. Pippin poussa alors un cri, car la Tour d'Ecthelion, haut dressée à l'intérieur du mur le plus élevé, se détachait, brillante, sur le ciel, comme une pointe de perle et d'argent, belle et élancée, et son pinacle étincelait comme s'il était fait de cristaux ; des bannières blanches flottaient aux créneaux dans la brise matinale, et il entendait, haute et lointaine, une claire sonnerie comme de trompettes d'argent.

Le Retour du Roi

Roger Garland

La grande ombre descendit comme un nuage tombant. Et voilà que c'était une créature ailée ! Si c'était un oiseau, il était plus grand que tous les autres, et il était dénudé : il ne portait ni penne ni plume, et ses vastes ailes ressemblaient à des palmures de peau entre des doigts cornus ; et il puait. Peut-être était-ce une créature d'un autre monde, dont l'espèce, demeurée dans des montagnes oubliées et froides sous la Lune, avait survécu à son temps et engendré dans quelque aire hideuse cette dernière progéniture intempestive et propre au mal. Et le Seigneur Ténébreux l'avait prise et l'avait nourrie de viandes affreuses jusqu'à ce qu'elle ait pris une envergure plus grande que celle de toute autre créature volante ; et il l'avait donnée à son serviteur en guise de coursier. Elle descendit, descendit ; et puis, repliant ses palmures digitées, elle poussa un cri croassant et se fixa sur le corps de Nivacrin, y enfonçant ses serres en courbant son long cou nu.

Sur son dos se tenait une forme enveloppée d'un manteau noir, énorme et menaçante. Elle portait une couronne d'acier, mais entre le bord de celle-ci et le vêtement ne se voyait rien d'autre qu'une lueur sinistre d'yeux : le Seigneur des Nazgûl.

Le Retour du Roi

Alan Lee

La disposition d'Eomer s'était à présent durcie et sa pensée était redevenue claire. Il fit sonner les cors pour rallier à sa bannière les hommes qui pouvaient y parvenir, car il pensait à faire pour finir un grand mur de boucliers, de tenir, de combattre là à pied jusqu'au dernier homme et accomplir dans les champs du Pelennor des exploits dignes d'être chantés, bien que nul ne dût rester dans l'Ouest pour se souvenir du dernier Roi de la Marche. Il gagna donc à cheval une butte verte, où il planta sa bannière, et le Cheval Blanc flotta dans le vent.

Sorti du doute, sorti des ténèbres au lever du jour,
Je vins chantant au soleil et tirant le glaive.
Vers la fin de l'espoir, je chevauchai, et vers le déchirement du cœur :
Place maintenant à la colère, place à la ruine et à un rouge crépuscule !

Il prononça ces vers, mais, ce faisant, il riait. Car il était encore possédé de l'ardeur de la bataille ; il était toujours indemne, il était jeune et il était roi : seigneur d'un peuple féroce. Et, se riant du désespoir, il regarda de nouveau les navires noirs et il brandit son épée en signe de défi.

Le Retour du Roi

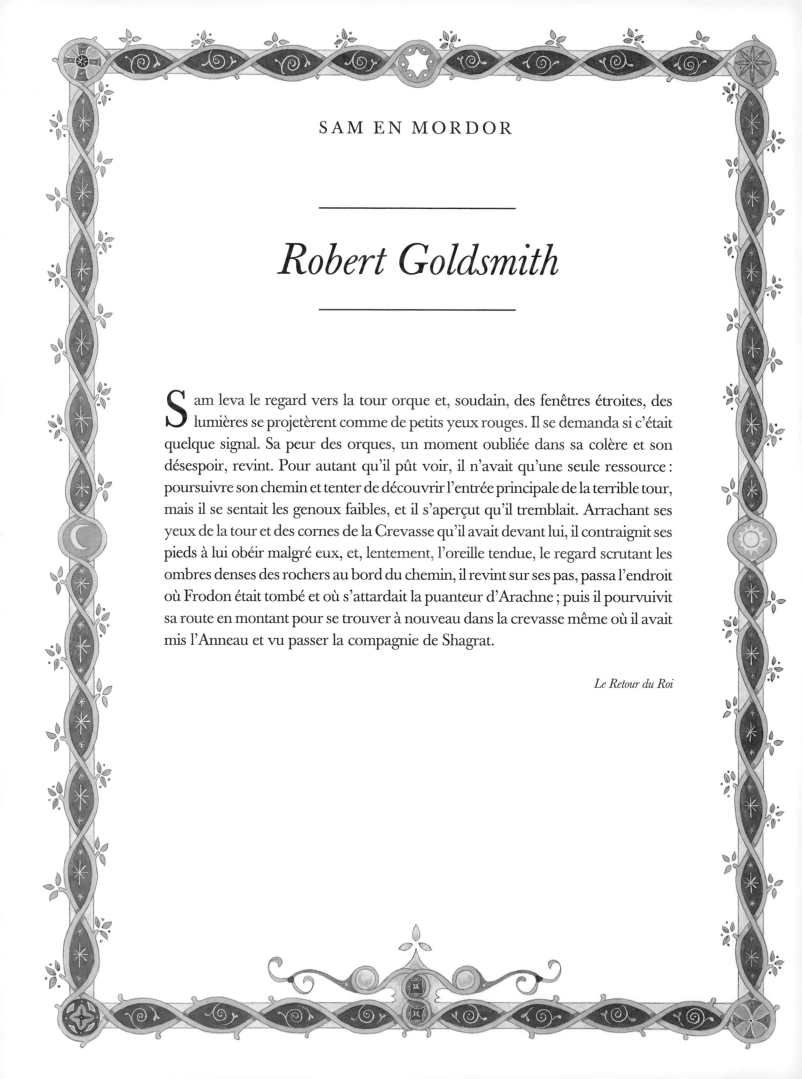

SAM EN MORDOR

Robert Goldsmith

Sam leva le regard vers la tour orque et, soudain, des fenêtres étroites, des lumières se projetèrent comme de petits yeux rouges. Il se demanda si c'était quelque signal. Sa peur des orques, un moment oubliée dans sa colère et son désespoir, revint. Pour autant qu'il pût voir, il n'avait qu'une seule ressource : poursuivre son chemin et tenter de découvrir l'entrée principale de la terrible tour, mais il se sentait les genoux faibles, et il s'aperçut qu'il tremblait. Arrachant ses yeux de la tour et des cornes de la Crevasse qu'il avait devant lui, il contraignit ses pieds à lui obéir malgré eux, et, lentement, l'oreille tendue, le regard scrutant les ombres denses des rochers au bord du chemin, il revint sur ses pas, passa l'endroit où Frodon était tombé et où s'attardait la puanteur d'Arachne ; puis il pourvuivit sa route en montant pour se trouver à nouveau dans la crevasse même où il avait mis l'Anneau et vu passer la compagnie de Shagrat.

Le Retour du Roi

Alan Lee

Sam demeura atterré dans cette terrible lumière, car, regardant à présent à gauche, il pouvait voir la Tour de Cirith Ungol dans sa toute puissance. La corne qu'il avait vue de l'autre côté n'était que la plus haute tourelle. Sa face orientale s'élevait en trois grands étages d'un ressaut de la montagne loin en dessous ; elle était adossée à un grand escarpement, d'où elle saillait en bastions pointus, superposés, qui diminuaient en montant, avec des côtés perpendiculaires d'une habile maçonnerie face au nord-est et au sud-est. Autour de l'étage inférieur, à deux cents pieds sous l'endroit où se tenait Sam, il y avait un mur crénelé entourant une cour étroite. Sa porte ouvrait du côté sud-est, le plus proche, sur une large route, dont le parapet extérieur longeait le bord d'un précipice jusqu'au moment où elle tournait vers le sud et descendait en serpentant dans l'obscurité pour rejoindre la route qui franchissait le Col de Morgul.

Le Retour du Roi

Alan Lee

Il regarda en arrière, puis en l'air, et il fut étonné de voir jusqu'où son dernier effort l'avait amené. La Montagne dressée, menaçante et isolée, lui avait paru plus haute qu'elle n'était. Sam vit alors qu'elle était moins élevée que les hauts de l'Ephel Duath, qu'il avait escaladés avec Frodon. Les épaulements confus et éboulés de sa grande base se dressaient à environ trois mille pieds au-dessus de la plaine, et au-dessus d'eux s'élevait encore à une altitude moitié moindre son haut cône central, tel un vaste four ou une cheminée couronnée d'un cratère déchiqueté. Mais Sam avait déjà fait plus de la moitié du chemin à partir de la base, et la plaine de Gorgoroth s'estompait en dessous de lui, enveloppée de fumées et d'ombre. Comme il regardait vers le haut, il aurait poussé un cri de joie, si sa gorge desséchée le lui eût permis : parmi les bosses et les épaulements anfractueux, il voyait clairement un sentier ou une route. Cela grimpait comme une ceinture qui, montant de l'ouest, s'enroulait tel un serpent autour de la Montagne jusqu'à atteindre avant de disparaître le pied du cône sur son côté est.

Le Retour du Roi

John Howe

C'était assez pénible pour le pauvre Sam, fatigué comme il l'était ; mais pour Frodon, ce fut un tourment et bientôt un cauchemar. Il serra les dents, essayant d'empêcher son esprit de penser, et continua d'avancer envers et contre tout. La puanteur des Orques en sueur tout autour de lui était suffocante, et il commença à haleter de soif. Ils poursuivirent toujours leur course, et il appliquait toute sa volonté à reprendre son souffle et à contraindre ses jambes à continuer de fonctionner, et pourtant il n'osait penser quelle serait la fin funeste pour laquelle il peinait et souffrait. Il n'y avait aucun espoir de quitter les rangs à la dérobée. A chaque instant, le conducteur Orque revenait les railler.

– Là, maintenant ! disait-il en riant, tout en leur donnant des petits coups de lanière sur les jambes. Où il y a un fouet, il y a du cœur, mes loches. Gardez l'allure ! Je vous donnerais bien de quoi vous remettre en train, mais vous recevrez autant de coups de fouet que votre peau en pourra supporter, quand vous arriverez en retard à votre camp. Ça vous fera les pieds. Vous ne savez pas qu'on est en guerre ?

Le Retour du Roi

Inger Edelfeldt

Saroumane jeta un regard circulaire sur leurs visages hostiles, et il sourit – Tuez-le ! dit-il, se moquant. Tuez-le, si vous vous croyez en nombre suffisant, mes braves hobbits ! Il se redressa de toute sa hauteur et leur jeta un regard menaçant de ses yeux noirs. – Mais ne vous imaginez pas qu'en perdant mes biens, j'ai perdu tout mon pouvoir ! Quiconque me frappera sera maudit. Et si mon sang souille la Comté, elle dépérira et ne s'en remettra jamais.

Les Hobbits reculèrent. Mais Frodon dit : – Ne le croyez pas ! Il a perdu tout pouvoir, sauf sa voix qui peut encore vous intimider et vous abuser, si vous le laissez faire. Mais je ne veux pas qu'il soit tué. Il ne sera à rien de répondre à la vengeance par la vengeance : cela ne guérira pas. Partez, Saroumane, par le chemin le plus court !

Le Retour du Roi

Roger Garland

Ulmo est le Seigneur des Eaux. Il est seul. Nulle part il ne reste longtemps, mais parcourt à sa guise les profondeurs marines qui entourent la Terre ou s'étendent sous elle. Néanmoins Ulmo aime autant les Elfes que les Humains et ne les a jamais abandonnés, même lorsqu'ils encoururent la colère des Valar. Parfois, invisible, il vient sur les rivages des Terres du Milieu, ou s'avance loin dans les terres par un bras de mer et là, fait résonner ses grandes trompes, les Ulumuri, creusées dans une nacre blanche. Ceux qui sont touchés par cette musique l'entendront toujours dans leur cœur, et la nostalgie de la mer ne les quittera jamais. Avant tout, Ulmo s'adresse aux habitants des Terres du Milieu par des voix qu'on entend comme la musique des eaux. Car les mers, les étangs, les rivières, les sources et les ruisseaux sont tous et toutes sous son autorité, ce qui fait dire aux Elfes que l'esprit d'Ulmo court dans les veines du monde.

Le Silmarillion

Roger Garland

Le siège d'Utumno fut long et cruel, de nombreuses batailles ensanglantèrent ses portes, dont seules des rumeurs parvinrent aux Elfes. La forme des terres en fut changée et la Grande Mer qui les traversait depuis le Pays d'Aman devint plus large et plus profonde. Elle dévora les côtes pour creuser un grand golfe vers le sud, puis d'autres moins importants jusqu'à Helcaraxë, loin au nord, là où se rejoignent Aman et les Terres du Milieu.

Enfin les portes de la forteresse furent enfoncées, les voûtes des cavernes furent brisées et Melkor dut se réfugier au plus profond de l'abîme. Alors Tulkas s'avança comme champion des Valar et s'affronta à lui. Et Tulkas le renversa face contre terre et il fut enchaîné avec Angainor, une chaîne forgée par Aulë, et maintenu en captivité pour que le monde connaisse enfin la paix.

Le Silmarillion

John Howe

Enfin, quand Eärendil eut sept ans, Morgoth fut prêt et lâcha ses Balrogs sur Gondolin et ses Orcs et ses loups et avec eux les dragons engendrés par Glaurung qui étaient maintenant nombreux et terrifiants. L'armée de Morgoth franchit les montagnes au nord, là où elles étaient les plus hautes et où la garde était moins vigilante, elle arriva de nuit au moment d'une fête, alors que tous les habitants de Gondolin étaient sur les remparts pour attendre le lever du soleil et entonner certains chants à son apparition, car c'était la grande fête qu'ils appelaient la Porte de l'Eté. Mais la lueur rouge apparut au-dessus des montagnes vers le nord, non pas à l'est, et il fut impossible d'arrêter l'ennemi jusqu'à ce qu'il fut sous les remparts de Gondolin. La ville fut assiégée sans espoir de salut.

Le Silmarillion

Roger Garland

Les navires de Círdan et du Grand Roi Gilgalad vinrent en hâte au secours des Elfes du Sirion mais arrivèrent trop tard, Elwing avait disparu avec ses enfants. Le peu de gens qui avait survécu à l'attaque se joignit à Gil-galad et ils retournèrent à Balar. Ils apprirent qu'Elros et Elrond étaient prisonniers mais qu'Elwing s'était jetée à la mer, le Silmaril à son cou.

Maedhros et Maglor ne regagnèrent pas le joyau mais il ne fut pas perdu car Ulmo porta Elwing par-dessus les vagues. Il lui donna l'apparence d'un grand oiseau blanc sur le sein duquel le Silmaril brillait comme une étoile et elle s'envola sur la mer à la recherche d'Eärendil son bien-aimé. Une nuit qu'Eärendil était à la proue de son navire, il la vit venir à lui comme un nuage blanc sous la lune qui volerait trop vite, comme une étoile à la course folle au-dessus de la mer, comme un feu pâle sur l'aile de la tempête.

Le Silmarillion

Inger Edelfeldt

Elle vit le corps du dragon mais ne s'en soucia point, car un homme était à côté. Elle courut vers Turambar, cria en vain son nom, vit que sa main était brûlée et la banda d'un morceau de sa robe en la baignant de ses larmes. Puis elle pleura et l'embrassa encore et encore pour le réveiller. Glaurung alors eut un dernier sursaut avant de mourir, et parla dans un dernier souffle :

– Salut, Nienor, fille de Húrin. Nous nous rencontrons une fois encore avant la fin. Je te donne la joie d'avoir enfin retrouvé ton frère, et de le connaître pour ce qu'il est : un lâche meurtrier, fourbe envers ses ennemis et trahissant ses amis, et maudit comme tous les siens : Túrin, fils de Húrin ! Mais tu peux sentir toi-même ce qu'il peut faire de pire.

Glaurung mourut enfin et Nienor fut délivrée du voile tissé par sa magie, elle se souvint de chaque jour de sa vie.

Le Silmarillion

Roger Garland

On trouvait cependant à l'est l'œuvre de dieux d'une autre sorte, car une grande arche avait été élevée, et il est dit qu'elle était toute d'or éclatant et fermée par des portes d'argent ; bien que peu aient pu la contempler, même parmi les dieux, du fait de l'abondance de vapeurs brillantes qui l'enveloppent souvent. De plus, les portes de Morn ne s'ouvrent que devant Urwendi, et le mot qu'elle prononce est le même que celui qu'elle dit à la Porte de la Nuit, mais il est inversé.

C'est ainsi que depuis toujours, quand le Navire de la Lune quitte son hâvre de l'Est aux portes de nacre, Ulmo tire le Galion du Soleil devant la Porte de la Nuit. Alors, le mot mystique est prononcé par Urwendi, et la porte s'ouvre vers l'extérieur devant elle, et un souffle d'obscurité se glisse à l'intérieur pour périr face à sa lumière flamboyante ; et le Galion du Soleil sort dans l'ombre sans limite, pour rejoindre l'Est en passant derrière le monde.

The Book of Lost Tales,
TOME UN

John Howe

Turambar et ses hommes rejoignirent le lit du cours d'eau aussi rapidement que possible, et ils parvinrent sous le nombril du ver. La chaleur y était si grande et la puanteur si abjecte que ses hommes furent pris d'une cruelle épouvante et n'osèrent pas remonter sur la rive. Dans sa colère, Turambar aurait voulu retourner son épée contre eux, mais ils s'enfuirent, et c'est seul qu'il escalada la paroi jusqu'à venir juste sous le corps du dragon, où la chaleur et la puanteur le firent chanceler et se cramponner à un gros buisson.

Tenant bon jusqu'à ce qu'un point vital et vulnérable soit à portée, il éleva Gurtholfin, son épée noire, et frappa de toutes ses forces au-dessus de sa tête. La lame magique des Rodothlim s'enfonça jusqu'à la garde dans les entrailles du dragon, dont le cri de douleur mortelle déchira les bois et terrifia ceux qui l'entendirent.

The Book of Lost Tales,
TOME DEUX

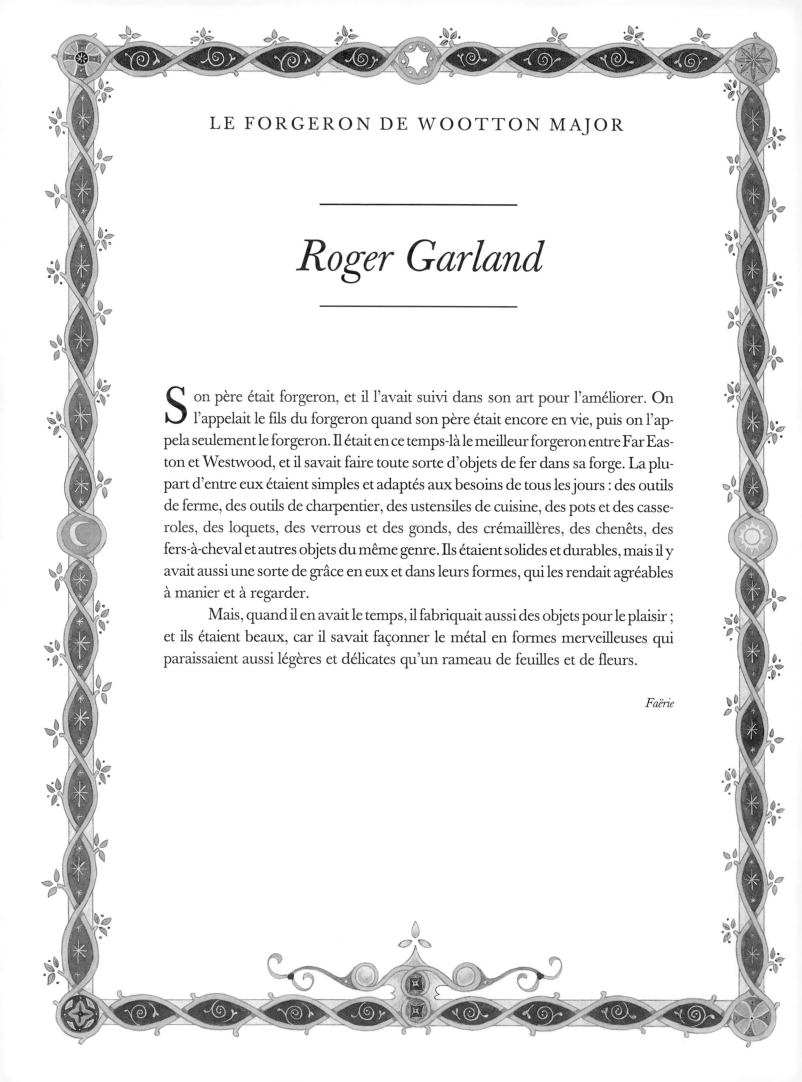

Roger Garland

Son père était forgeron, et il l'avait suivi dans son art pour l'améliorer. On l'appelait le fils du forgeron quand son père était encore en vie, puis on l'appela seulement le forgeron. Il était en ce temps-là le meilleur forgeron entre Far Easton et Westwood, et il savait faire toute sorte d'objets de fer dans sa forge. La plupart d'entre eux étaient simples et adaptés aux besoins de tous les jours : des outils de ferme, des outils de charpentier, des ustensiles de cuisine, des pots et des casseroles, des loquets, des verrous et des gonds, des crémaillères, des chenêts, des fers-à-cheval et autres objets du même genre. Ils étaient solides et durables, mais il y avait aussi une sorte de grâce en eux et dans leurs formes, qui les rendait agréables à manier et à regarder.

Mais, quand il en avait le temps, il fabriquait aussi des objets pour le plaisir ; et ils étaient beaux, car il savait façonner le métal en formes merveilleuses qui paraissaient aussi légères et délicates qu'un rameau de feuilles et de fleurs.

Faërie

Roger Garland

Sur ordre du Roi, des gardes furent postés au hâvre de Moriondë, à l'est du pays, là où les rochers sont noirs, pour surveiller de près le retour du navire. Il faisait nuit, mais la lune était claire. Ils annoncèrent des bateaux dans le lointain, qui semblaient naviguer vers l'ouest plus vite que la tempête, alors que le vent était faible. Soudain, la mer s'agita ; elle s'éleva jusqu'à devenir une montagne et déferla sur les terres. Les navires furent soulevés et entraînés loin à l'intérieur, et ils s'échouèrent dans les champs. Dans celui qui avait été projeté le plus haut et qui gisait à sec au sommet d'une colline, il y avait un homme, ou quelqu'un sous forme humaine, mais de plus grande stature que n'importe qui, même de la race de Numenor.

Il se dressa sur le rocher et dit : «Ceci est une démonstration de mon pouvoir, car je suis Sauron le redoutable, serviteur du Puissant» (il avait parlé sombrement). «Je suis venu. Réjouissez-vous, homme de Numenor, car votre roi sera mon roi, et le monde sera déposé entre ses mains.

The Lost Road

Roger Garland

Il y avait un virage à gauche quelques mètres plus loin. Ils descendirent un chemin propre et bien entretenu, bordé de grossees pierres blanches, qui les mena rapidement sur la berge de la rivière. Ils trouvèrent là un embarcadère assez grand pour plusieurs bateaux. Ses poteaux blancs scintillaient dans l'obscurité. Dans les champs, le brouillard montait déjà à hauteur des haies, mais l'eau était noire devant eux, avec seulement quelques lacets tire-bouchonnés de vapeur grise parmi les roseaux de la rive. La rivière Brandevin s'écoulait lentement et majestueusement. De l'autre côté, deux lampes clignotaient sur un autre embarcadère d'où de nombreuses marches permettaient de gravir la haute berge. La colline se profilait derrière, et les lueurs de nombreuses fenêtres rondes de hobbits, rouges et jaunes, brillaient à l'intérieur à travers les rubans de brume espacés. C'étaient les lumières de Brandy Hall, la demeure ancestrale des Brandebouc.

The Return of the Shadow

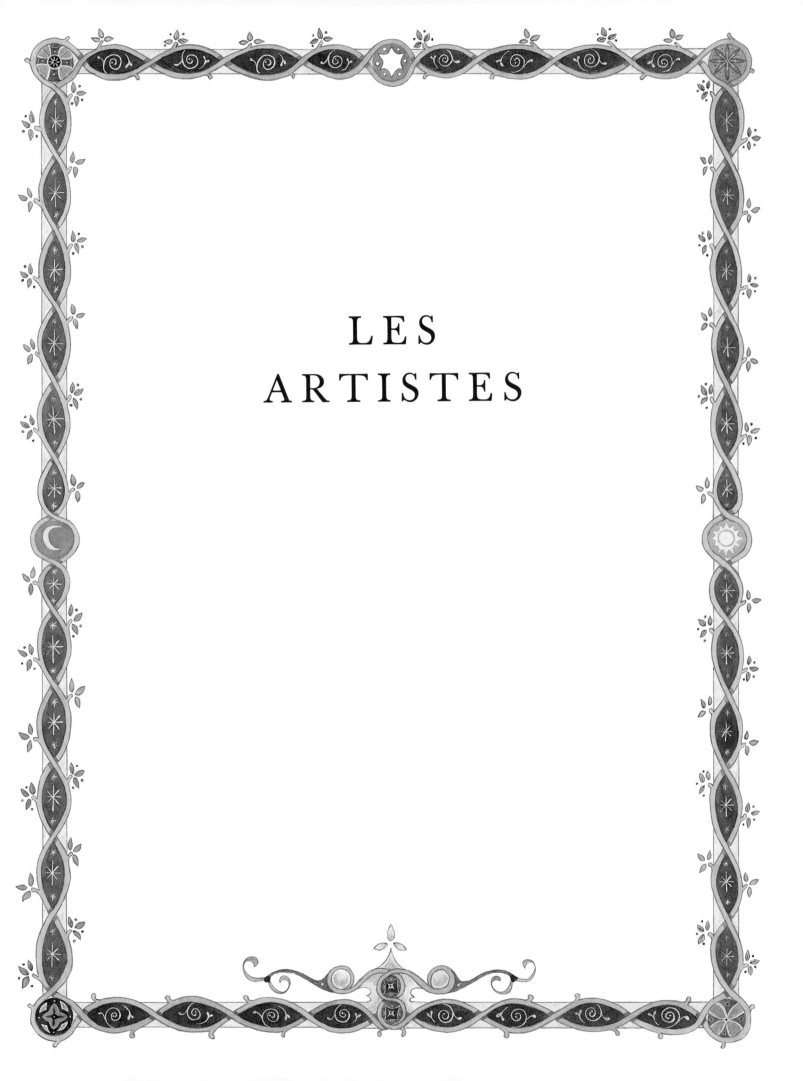

LES
ARTISTES

Inger Edelfeldt

Je suis né à Stockholm, en Suède – où je vis toujours – en 1956. Autodidacte, je ne suis pas seulement illustrateur mais aussi écrivain depuis 1977. Mes livres vont des livres d'images pour petits enfants aux romans et aux nouvelles pour adultes. En 1988 et 1989, j'ai aussi publié deux bandes dessinées pour adultes.

J'ai lu *Le Seigneur des Anneaux* à quatorze ans. J'en fus très impressionné et très influencé. A seize ans, j'ai peint mes premières séries d'aquarelles décrivant des scènes, ou plutôt des personnages, issus des œuvres de Tolkien. C'était très probablement le contraste entre le bien et le mal, l'ombre et la lumière, les paysages macabres et ceux idylliques, qui m'inspira le plus. Un de mes personnages favoris était – et est resté – Gollum. J'ai aussi tenté de nombreuses fois de dessiner les elfes, mais ils finissaient toujours par ressembler à des statues de marbre avec des yeux en billes de verre et des cheveux sculptés dans du caramel mou. Mes orques étaient aussi un problème. A quoi pouvaient-ils bien ressembler ?

En 1977, à mes débuts d'illustrateur professionnel, j'ai dessiné les couvertures d'une nouvelle édition suédoise du *Seigneur des Anneaux*. En 1982, j'ai rencontré monsieur Rayner Unwin (de George Allen & Unwin) à Stockholm. Il a regardé mes travaux et nous sommes tombés d'accord quelque temps plus tard pour que je livre 12 aquarelles pour l'édition de 1985 du Calendrier Tolkien. Du coup, Legolas et les elfes devinrent des sortes d'indiens pâles, et les orques des créatures gris-noir, brûlées et caoutchouteuses, avec des pupilles rouges et des nez porcins.

Il est amusant de noter que j'ai utilisé des amis ou moi-même quand j'ai eu besoin de modèles pour le calendrier. Une amie, douce, miniature et à l'allure tendre a posé pour tous les orques massacrés de « La Mort de Boromir ». Quant à moi, j'ai posé pour Gollum en grimaçant devant la glace. C'était très amusant, autant que je m'en souvienne. Ce bon vieux Gollum a eu son poisssssson.

Carol Emery Phenix

Je suis né et j'ai grandi à Manchester, dans le New Hampshire, USA, et je me suis établie depuis dix ans dans les White Mountains, toujours dans le New Hampshire.

Ma première expérience de l'illustration date de l'âge de sept ans, quand j'écoutais les histoires que l'on nous lisait chaque après-midi à l'école. C'étaient des après-midi dorés. Bien que je n'aie jamais vraiment dessiné aucune des images que je me faisais de ces histoires en les entendant, je peux encore me rappeler à quel point je me figurais précisément ces personnages animaliers vivant leurs aventures dans les roseaux ensoleillés au bord des rivières, ou dans les clairières tachetées d'ombres. Depuis lors, j'ai toujours trouvé le plus de satisfaction artistique en donnant vie et souffle à ce qui dort dans l'imagination, plutôt qu'en interprétant la réalité.

A quinze ans, je suis tombée sur une production télévisuelle assez surréaliste, d'après *A Midsummer Night's Dream*. Ce fut ma première rencontre « post-enfance » avec l'imaginaire, et je fus immédiatement attirée par son aspect « féerique ». J'en voulais encore plus, mais j'ignorais même à l'époque qu'il existait tout un genre de ces fictions imaginaires pour adultes. Je me rappelle avoir fait des dessins d'Obéron, de Titania, et surtout de Puck.

Un an plus tard, j'ai découvert *Le Seigneur des Anneaux* et *Bilbo le Hobbit,* de J.R.R. Tolkien. La riche complexité des Terres-du-Milieu, la précision des détails intervenant dans les descriptions, les références à des époques et à des événements importants en marge de l'histoire principale, et tout particulièrement cette atmosphère « nordique » intangible, se combinèrent pour me captiver totalement. J'étais une de ces fanatiques qui relisent la série sans arrêt, y découvrant à chaque fois de nouveaux éléments à savourer, comme sur un tableau immense. Ces dernières années, je suis devenue plus spécialement attentive aux liens entre la morale propre de Tolkien et la création de son conte. Ses personnages semblent tout particulièrement définis par leur stature morale ; le mal personnifié par Sauron ; le Balrog aveuglément horrible ; la tentation et les hésitations de Boromir qui cède mais se reprend finalement ; la maturité, le développement et la clarté de pensée d'Aragorn ; et enfin l'évolution de Frodon en une personne d'une telle morale intérieure qu'il approche la sainteté. Bien qu'idéalisés, je les aime tous.

Le Seigneur des Anneaux a toujours un incroyable pouvoir sur moi, même après vingt-deux ans de fréquentation, je ne serai jamais fatiguée d'illustrer Tolkien.

Tony Galuidi

La mythologie m'a toujours attiré. Enfant, j'étais fasciné par les créatures horribles comme les gorgones ou l'hydre de la mythologie grecque, et je devins en grandissant encore plus sensible à l'héroïsme, la dignité, la tragédie et la beauté que recèlent la plupart des mythes. Ce qui m'inspire le plus, ce sont les contes sombres et farouches de la mythologie nordique, et la mélancolie et la galanterie des légendes Arthuriennes, d'où ma grande passion pour l'écriture de Tolkien qui contient de forts éléments des deux.

J'ai lu *Le Seigneur des Anneaux* pour la première fois il y a dix ans, et aucun livre ne m'avait remué si profondément – aussi riche de dignité et de force, aussi plein d'espoir et d'héroïsme. Les lieux et les personnages y sont si vibrants et tangibles qu'ils sautent littéralement sur la toile de l'artiste – Barad-Dûr mérite une attention particulière, et aucune créature n'a jamais capturé mon imagination comme le Balrog de Khazad-Dûm.

Je suis un autodidacte et un relatif nouveau-venu dans la peinture, n'ayant débuté qu'il y a cinq ans, et je n'ai que peu le temps de peindre pour des raisons professionnelles et familiales. Je travaille avec des adultes ayant des difficultés d'apprentissage, dans un centre de formation de Skelton, Cleveland, et je trouve cela très enrichissant. En rentrant chez moi, je dois composer avec deux enfants « merveilleusement dynamiques » : Bethany qui a quatre ans et montre de grandes dispositions artistiques, et Joey qui n'en a que deux et ne montre que de grandes dispositions démoniaques.

Comme la plupart des artistes, je puise dans ma réserve d'impressions créatives et d'inspirations pour dessiner. Le conte épique arthurien de Tennyson, *The Idylls of the King,* me hante continuellement, comme le fait le poème anglo-saxon *Béowulf.* Pour moi, les Victoriens sont l'aboutissement de la peinture, et j'adore par-dessus tout le travail d'un quasi-obscur pré-raphaélite, J. Waterhouse. J'ai aussi beaucoup d'admiration pour d'autres artistes, tels Alphonse Mucha, Arthur Rackham, Patrick Woodruffe, Rodney Matthews, et pour le travail très évocateur d'Alan Lee (qui est sûrement né pour illustrer *Le Seigneur des Anneaux*).

Lorsque je ne peins pas, je joue de la flûte ou de la guitare (avec plus d'enthousiasme que d'aptitude), mais j'aime surtout marcher dans les bois ou dans les landes, seulement équipé de quelques-uns de mes poèmes préférés et d'une bonne paire de bottes.

Roger Garland

J'ai lu *Le Seigneur des Anneaux* pour la première fois quand j'étais étudiant en art, à la fin des années soixante. A l'époque, personne ne pouvait échapper à sa popularité et à son influence sur toute cette génération. Dix ans plus tard, je fus tout excité d'être chargé d'illustrer la couverture des *Unfinished Tales,* sur laquelle j'eus ma première occasion de dessiner un dragon – la sortie destructrice de Glaurung de sa tanière provoqua une image mentale instantanée, et le dessin sortit tout droit de mon imagination sans avoir besoin de documentation. J'ai récemment fait l'acquisation de la première édition de *l'Anneau de Nibelungen,* illustré par Arthur Rackham. Je ne pouvais pas l'avoir vu auparavant, mais nos deux dragons semblaient cependant découler de la même source mythique collective transmise d'une génération d'illustrateurs à une autre.

Suite à cette commande, on m'a demandé d'illustrer d'autres couvertures d'œuvres de Tolkien. J'ai trouvé plein d'inspiration *Le Silmarillion, Unfinished Tales* et *Lost Tales.* C'est dans ces livres que j'ai découvert des images fortes comme *Ulmo Seigneur des Eaux, La Capture de Melkor* et *Le Conte du Soleil et de la Lune,* publiés pour la première fois dans le Calendrier Tolkien 1984.

Les peintres symbolistes français et les pré-raphaélites sont les artistes qui m'ont le plus influencé. Ils m'ont d'abord attiré par leur style pictural extrêmement fini et incroyablement détaillé, et ensuite par leurs sujets mythiques et fantastiques. On trouve une grande beauté dans leur peinture, contrastant avec un côté spirituel plus sombre et plus menaçant, présentant de nombreux points communs avec le travail de Tolkien. En associant ces deux sources d'inspiration, il ne me fut pas difficile de développer un style d'illustration adapté à l'univers de Tolkien. Je trouve que *Le Seigneur des Nazgûl* est mon illustration la plus réussie, alliant à la fois le paysage et la bête, et évoquant le côté obscur de l'œuvre de Tolkien.

M'impliquer dans l'illustration de l'univers de Tolkien pendant les dix dernières années m'a permis de mûrir artistiquement. Avec chaque peinture, j'avais l'impression « d'améliorer mon jeu » et de créer quelque chose de très personnel, et je suis très reconnaissant de cela.

Robert Goldsmith

Je suis né et j'ai grandi à Brighton, parmi une famille de six frères !

J'ai étudié l'illustration à la Brighton Polytechnic, et j'ai été diplômé avec mention en juin 1980. Après avoir quitté Brighton, j'ai travaillé à Londres pendant plusieurs années avant de m'installer à Cheltenham en 1986.

Ce sont l'atmosphère riche et les merveilleuses descriptions contenues dans l'œuvre de Tolkien qui ont excité mon imagination et ont provoqué chez moi un besoin irrésistible de sortir brosses et crayons pour essayer de reproduire quelques-unes des images qui se développaient dans ma tête. Pour illustrer une œuvre de fiction, il faut croire en elle. Tolkien a réussi à créer un endroit si réel qu'il pourrait presque s'agir d'un monde parallèle existant à côté du nôtre. Les personnages, les lieux et les puissances du monde imaginaire des Terres du Milieu me paraissent semblables, sous bien des aspects, à ceux que nous connaissons.

Les illustrations les plus réussies que j'aie pu voir sont celles qui ne font pas le portrait trop précis des personnages principaux, mais qui reposent sur l'atmosphère et les détails sélectionnés plutôt que méticuleusement définis. Elles laissent ainsi au spectateur une plus grande liberté d'imagination et d'interprétation. J'admire beaucoup le travail d'Alan Lee, dont je trouve que les illustrations tombent dans cette catégorie.

J'ai toujours travaillé comme illustrateur indépendant. J'ai récemment commencé à consacrer de plus en plus de temps à ma passion particulière : l'aquarelle. J'ai passé beaucoup d'heures délectables à parcourir les Costwolds sur ma moto, à la recherche de sujets d'inspiration, lourdement chargé d'un tabouret, de couleurs, de pinceaux et de carnets de croquis.

Ma première exposition personnelle d'aquarelles s'est tenue à la Montpellier Gallery en juin 1991, et j'ai bon espoir qu'elle débouche sur de nombreuses autres.

Michaël Hague

J e me compte parmi les gens les plus favorisés du monde. Car, en tant qu'artiste, j'ai non seulement le plaisir mais aussi le devoir de rêver éveillé. Cela fait partie de mon travail. J'ai été un rêveur éveillé épanoui toute ma vie, souvent au point d'exaspérer mon entourage.

Je me bats pour créer quelque chose à partir d'une page blanche, qui devient un véritable autre monde que les gens peuvent visiter et en lequel ils peuvent croire totalement. Peu importe sur quel type de projet je travaille, mon approche est la même : tenter de mêler l'imaginaire au réel.

Cela explique peut-être pourquoi l'œuvre de Tolkien a eu une si grande influence sur mon dessin. L'imaginaire de Tolkien est basé sur la réalité. Son univers est un monde dans lequel nous pouvons nous retrouver, car nous en reconnaissons les terres, les arbres, et les cours d'eau. Aucun de ces éléments ne nous est étranger, malgré le fait que le lieu où ils demeurent soit mythique. Les créatures de Tolkien – qu'elles soient humaines, hobbites, ou gobelines – font partie de nous-mêmes. Nous reconnaissons les personnages et leurs émotions, car ils nous sont semblables.

Le secret du succès de J.R.R. Tolkien, c'est que ses illusions sont réelles. Elles ne se sont peut-être jamais produites et ne le feront jamais, mais elles font vibrer dans nos esprits une corde tendue entre ce qui est et ce qui *pourrait* être.

Le monde de Tolkien existe dans nos cœurs et dans nos imaginations. J'ai fait de mon mieux pour tenter de le faire vivre.

John Howe

Illustrer l'œuvre de J.R.R. Tolkien, c'est décider de ce qu'il vaut mieux ne pas illustrer, et de ce qui doit être traité en ombres profondes, à distance, ou avec la lumière rasante de novembre. Tolkien est le maître de l'évocation – ses descriptions sont des catalyseurs pour le lecteur, qui fait appel à son propre panthéon de héros et de démons pour en compléter les images. Lire Tolkien, c'est confronter ces nébuleuses certitudes, radicalement différentes d'un lecteur à l'autre.

Illustrer Tolkien, c'est avancer avec précaution, en trempant ses pinceaux dans le noir et en les rinçant dans la lumière. C'est le combat et le doute, sur l'impossible sentier entre le clair et l'obscur.

C'est un peu en me voilant la face que je suis obligé d'avouer avoir lu d'abord *Les Deux Tours* et *Le Retour du Roi,* avant *La Communauté de l'Anneau.* J'avais environ douze ans à l'époque (j'avais déjà lu *Bilbo le Hobbit* plusieurs fois), et les chemins de l'imaginaire passaient par les rayons de la bibliothèque publique d'une petite ville.

Par la suite, j'ai plongé droit dans le monde de Tolkien du haut des Chutes de Rauros, et j'y nage diligemment depuis.

Alan Lee

En illustrant *Le Seigneur des Anneaux,* ma préoccupation première était de tenter de proposer un accompagnement visuel au récit, sans parasiter ni décaler les images que l'auteur avait patiemment construites dans l'esprit du lecteur. Je sentais que ma tâche consistait à esquisser les héros dans leur quête épique, souvent à distance, ne se rapprochant d'eux qu'aux moments intensément émotionnels, tout en évitant d'essayer de recréer les points forts dramatiques du texte.

Pour moi, une des images les plus puissantes est celle de Gollum dansant au bord du Gouffre du Destin avec le doigt sectionné de Frodon à la main, mais c'est aussi l'évidente netteté de cette scène qui m'a retiré l'envie de la dépeindre. J'ai préféré chercher à capturer la présence estompée de la Montagne du Destin elle-même, quelques pages plus tôt, quand Gollum observe les voyageurs, caché derrière un rocher. J'espérais ainsi renforcer l'impression faite par le volcan sur le lecteur, afin que les événements suivants se passant à l'intérieur puissent être encore plus impressionnants.

De telles considérations furent simplifiées par d'autres, plus techniques. Imprimées séparément sur papier couché, les illustrations devaient être placées à intervalles de seize ou trente-deux pages à travers le livre. Cette limitation fut acceptée avec reconnaissance, et m'épargna probablement des semaines de tourments stériles à décider de quels passages illustrer.

Il était important que chaque image soit en rapport avec le texte de la page vis-à-vis. Cela s'accordait aussi avec mon envie de dénicher des sujets dans les endroits les moins évidents.

L'ouvrage de Tolkien est si riche qu'il ne contient que peu de pages – s'il y en a – où il ne se passe pas quelque chose de dramatique, de merveilleux ou de terrifiant quelque part. Il fourmille aussi de passages si beaux et si élégiaques que toute tentative de les rendre visibles semble maladroite en comparaison.

Tolkien est parvenu à créer un univers qui existe au-delà du spectre de sa narration personnelle. En dressant un paysage si puissamment imaginaire sur les solides fondations de l'Histoire et des mythes, il a ouvert les Terres du Milieu à chacun de nous pour ses propres rêveries errantes.

Je me sens immensément privilégié qu'on m'ait permis d'illustrer *Le Seigneur des Anneaux,* un livre qui a eu un impact profond sur moi dès la première lecture, et qui a probablement influencé la direction de ma carrière au cours des vingt-cinq années suivantes. Il m'a mené, non pas vers l'héroic-fantasy, mais à un intérêt renouvelé pour les mythes et les légendes, et à l'admiration de toute une vie pour les merveilleux talents du conteur.

Ted Nasmith

Ted Nasmith vit et travaille à Toronto, au Canada, où lui et sa femme Donna élèvent leurs trois enfants, Colin, Michael et Charyn. L'illustrateur qu'il est partage son temps entre les rendus architecturaux et de nombreuses autres formes d'illustrations, dont en particulier les peintures inspirées de Tolkien pour lesquelles il est renommé. Entre autres passions, il a celles de l'écriture de chansons et de l'enregistrement, et celle des livres : « Il y en a un nombre incroyable de bons » !

Son amour de Tolkien le poussa à réaliser des illustrations dès sa première lecture du *Seigneur des Anneaux,* à l'âge de quinze ans. Il se lança bientôt dans des interprétations ambitieuses et détaillées de scènes du livre, tout en accumulant des montagnes de croquis. Sa première œuvre importante s'intitulait « Une Réception Inattendue » (1972), et était exécutée à la tempéra. Elle représentait Gandalf, Bilbo, et les nains examinant la carte ancienne d'Erébor. Encouragé, il continua à illustrer Tolkien pendant une dizaine d'années en prenant sur son temps libre. Certains travaux requérirent plusieurs mois, tel « Fondcombe », un grand paysage extrêmement détaillé qui, selon l'artiste, est son « amplification » de l'aquarelle de Tolkien du même nom. Son travail fut enfin remarqué par George Allen & Unwin Ltd. et bientôt publié dans les Calendriers Tolkien (1987, 1988, 1990 et 1992).

Nasmith déclare : « Quand j'ai commencé à illustrer Tolkien, je me suis senti chez moi, et j'ai suivi mon désir d'exprimer ce monde et cette histoire, et d'en découvrir l'essence à travers mes interprétations. Paradoxalement, j'ai beaucoup appris sur ma propre personnalité en devenant une sorte de médium de l'espression visuelle du chef-d'œuvre de Tolkien. Cela m'a choisi autant que je l'ai choisi moi-même. La tristesse, la douce amertume, l'ombre, la lumière, la gloire, le mystère et la grandeur m'attirent, de même que la largeur et la profondeur, l'authenticité, la noblesse, et peut être, en définitive, le merveilleux et « l'exotisme nordique » cher à C.S. Lewis. Mon plaisir est celui d'un enfant devant un cadeau, comme l'amour de Tolkien pour le langage et la narration, que je peux intensément partager avec d'autres esprits complices. »